中小企業診

2025年度版

最速合格のための スピード問題集

④ 経済学・経済政策

TAC中小企業診断士講座

ご注意ください

本書はTAC中小企業診断士講座がこれまでに実施した「公開模試、完成答練、養成答練」から良問を精選、収録したものです。これまでに受講されたことのある方はご注意のうえ、ご利用ください。なお、法改正などに対応させるため、必要に応じて改題しています。

2025年度版「スピード問題集」の刊行にあたって

2005年3月に刊行された本書「スピード問題集」は、インプット用の基本テキストである**「スピードテキスト」シリーズに準拠**した、アウトプット用教材です。試験傾向、つまり難易度や出題領域、問題文の構造などは毎年多少なりとも変化しています。本書に収載する問題は、そのような試験傾向の変化を見ながら毎年2～3割程度を入れ替えていますので、**最新の試験傾向を意識した効率的な学習が可能**となっています。

中小企業診断士試験は非常に範囲の広い試験です。60%の得点で合格できることを考えると、学習領域の取捨選択は大変重要です。

「スピードテキスト」と本書「スピード問題集」を併せてご利用していただければ、適切な領域を、適切な深さまで効率的に学習することが可能です。難易度が高い試験ですが、効率的に学習を進めて合格を勝ち取ってください。

ＴＡＣ　中小企業診断士講座
講師室、事務局スタッフ一同
2024年10月

本書の特色

本書で取り上げている問題は、おおむね小社刊「スピードテキスト」の章立てに沿っています。出題領域も、原則として「スピードテキスト」の内容をベースにしていますので、「スピードテキスト」の学習進度に合わせた問題演習が可能となっています。

チェック欄
演習をした日付を記入するためのチェック欄を設けています。演習は繰り返し行いましょう。

問題 1　費用関数　1 ／　2 ／　3 ／

完全競争市場の下で、ある財を生産する企業を考える。当該企業の総費用曲線および原点から始まり総費用曲線と点Eで接する補助線Aと固定費用Cから始まり総費用曲線と点Dで接する補助線Bが描かれている。

この図に関する記述の正誤の組み合わせとして、最も適切なものを下記の解答群から選べ。

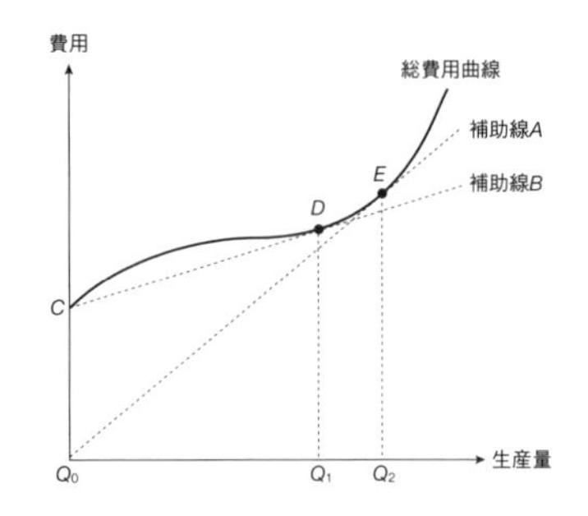

a　生産量Q_0は平均固定費用が最小となる生産量である。
b　生産量Q_1は限界費用が最小となる生産量である。
c　生産量Q_2は平均費用が最小となる生産量である。

〔解答群〕

ア	a：正	b：正	c：誤
イ	a：正	b：誤	c：誤
ウ	a：誤	b：正	c：正
エ	a：誤	b：誤	c：正
オ	a：誤	b：誤	c：誤

2

問題ページと解答・解説ページが見開きで、答をかくすシートもついているので、学習しやすい！　移動時間やランチタイムに、ぜひ活用してください！

『スピードテキスト』とのリンク

各解説の冒頭に、「スピードテキスト」の該当箇所を表示しています。これにより、問題演習時に発生した疑問点についても、よりスムーズに解決することができます。

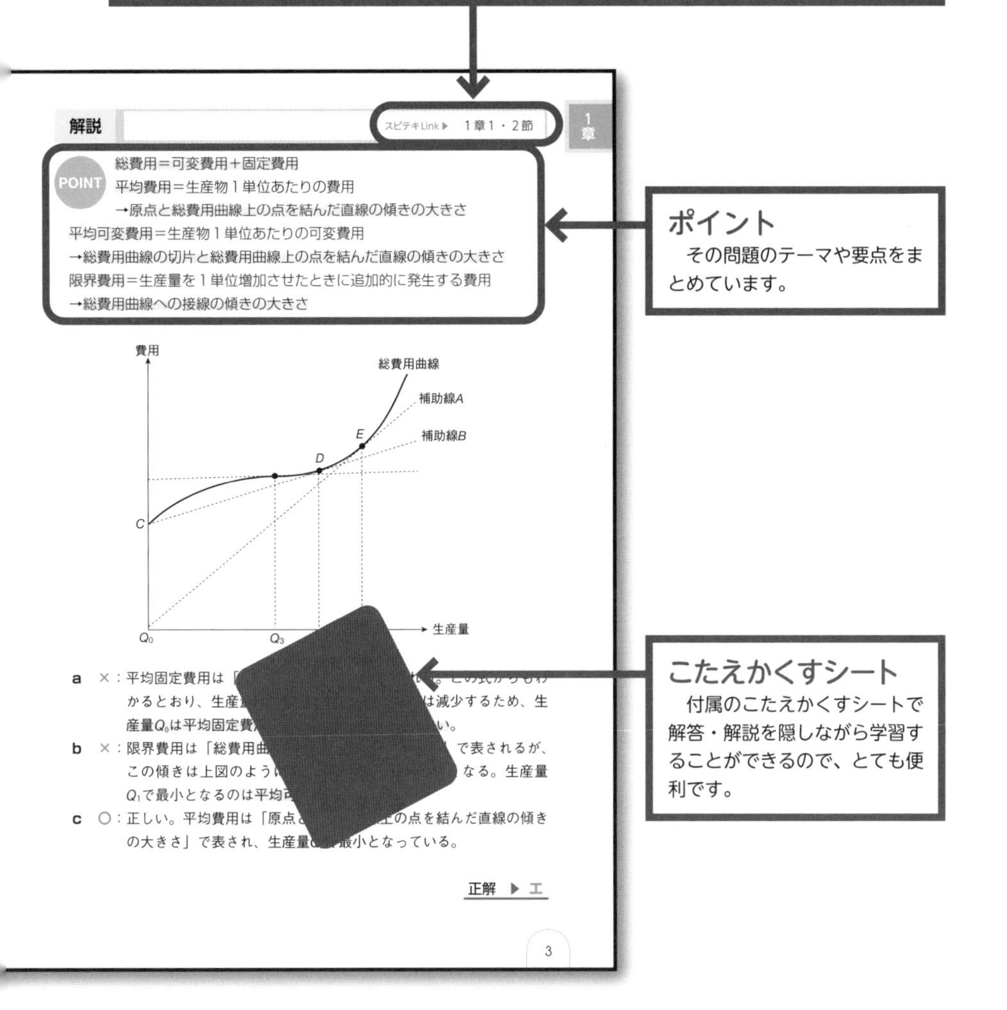

ポイント

その問題のテーマや要点をまとめています。

こたえかくすシート

付属のこたえかくすシートで解答・解説を隠しながら学習することができるので、とても便利です。

目　次

第1章　企業行動の分析

第2章　消費者行動の分析

第3章　市場均衡と厚生分析

第4章　不完全競争

第5章　市場の失敗と政府の役割

第6章　国民経済計算と主要経済指標

第7章　財市場（生産物市場）の分析

第8章　貨幣市場とIS-LM分析

第9章　雇用と物価水準

第10章　消費、投資、金融政策に関する理論

第11章　国際マクロ経済学

第12章　景気循環と経済成長

経済学・経済政策

問題1　費用関数

1 ／　2 ／　3 ／

完全競争市場の下で、ある財を生産する企業を考える。当該企業の総費用曲線および原点から始まり総費用曲線と点Eで接する補助線Aと固定費用Cから始まり総費用曲線と点Dで接する補助線Bが描かれている。

この図に関する記述の正誤の組み合わせとして、最も適切なものを下記の解答群から選べ。

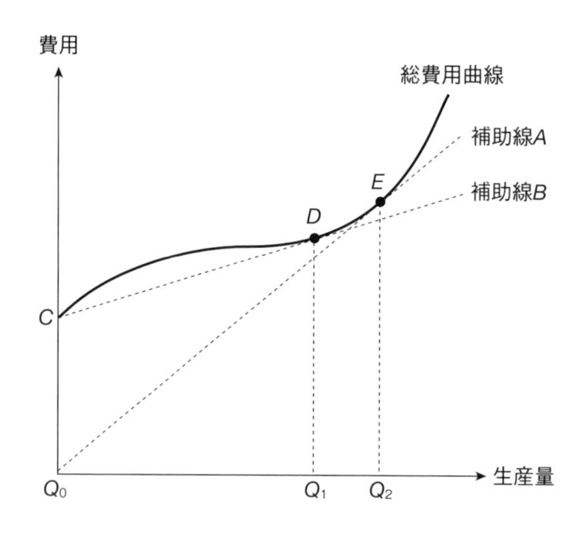

a　生産量Q_0は平均固定費用が最小となる生産量である。

b　生産量Q_1は限界費用が最小となる生産量である。

c　生産量Q_2は平均費用が最小となる生産量である。

〔解答群〕

ア　a：正　b：正　c：誤

イ　a：正　b：誤　c：誤

ウ　a：誤　b：正　c：正

エ　a：誤　b：誤　c：正

オ　a：誤　b：誤　c：誤

解説

スピテキLink▶ 1章1・2節

POINT
総費用＝可変費用＋固定費用
平均費用＝生産物１単位あたりの費用
→原点と総費用曲線上の点を結んだ直線の傾きの大きさ
平均可変費用＝生産物１単位あたりの可変費用
→総費用曲線の切片と総費用曲線上の点を結んだ直線の傾きの大きさ
限界費用＝生産量を１単位増加させたときに追加的に発生する費用
→総費用曲線への接線の傾きの大きさ

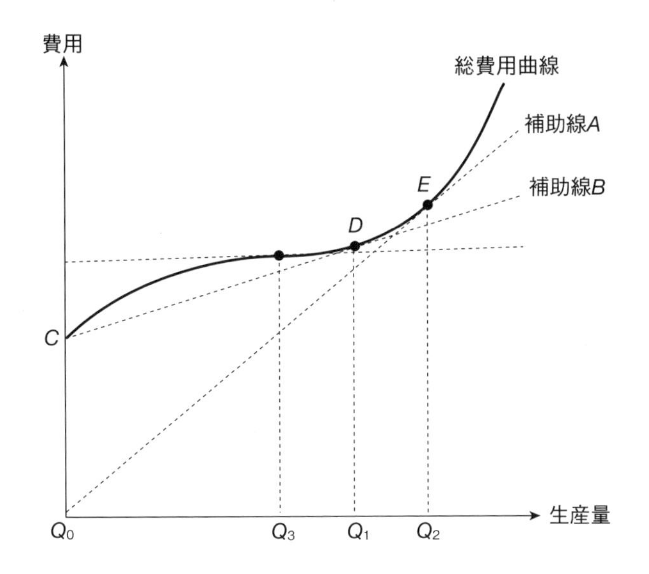

a ×：平均固定費用は「固定費用÷生産量」で示される。この式からもわかるとおり、生産量が増加すると平均固定費用は減少するため、生産量Q_0は平均固定費用が最小となる生産量ではない。

b ×：限界費用は「総費用曲線への接線の傾きの大きさ」で表されるが、この傾きは上図のように、生産量Q_3のほうが小さくなる。生産量Q_1で最小となるのは平均可変費用である。

c ○：正しい。平均費用は「原点と総費用曲線上の点を結んだ直線の傾きの大きさ」で表され、生産量Q_2で最小となっている。

正解 ▶ エ

問題 2 費用関数

1 ／ 2 ／ 3 ／

総費用と生産量の関係を示す費用関数が、逆S字型の三次関数である完全競争下における企業の費用曲線に関する記述として、最も適切なものはどれか。

ア 限界費用が平均可変費用を上回っている生産量の下では、生産量の増加に伴い、平均可変費用は増加する。

イ 平均費用曲線は、限界費用曲線および平均可変費用曲線の最低点を通過する。

ウ 平均固定費用は生産量が増加するとともに増加する。

エ 限界費用が増加している生産量の下では、平均費用も増加する。

解説

スピテキLink▶ 1章1・2節

POINT 問題に「総費用と生産量の関係を示す費用関数が、逆S字型の三次関数」とあることから、通常の短期の費用曲線と同様であると判断でき、下図のように平均費用曲線（AC）、平均可変費用曲線（AVC）、限界費用曲線（MC）を図示することができる。

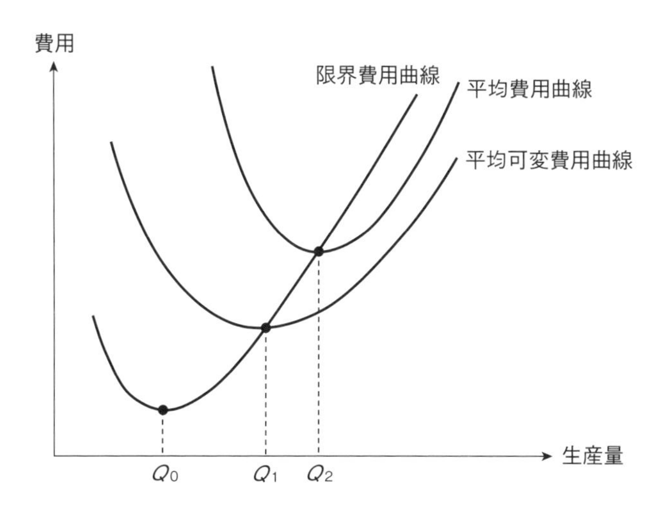

ア ○：正しい。限界費用が平均可変費用を上回っている生産量は、上図のQ_1の右側の領域である。図のように、生産量の増加に伴い、平均可変費用は増加する。

イ ×：上図のように、限界費用曲線は、平均費用曲線および平均可変費用の最低点を通過する。

ウ ×：平均固定費用は生産量が増加するとともに減少する。固定費用をFCとすると、平均固定費用は「FC÷生産量」となり、生産量が増加すると平均固定費用は減少することがわかる。

エ ×：限界費用が増加している生産量は、上図のQ_0の右側の領域である。上図のように、平均費用は生産量がQ_2までは減少する。

正解 ▶ ア

問題3 費用関数

1 ／ 2 ／ 3 ／

下図は、ある企業の費用曲線を表したものである。この企業は、可変的生産要素と固定的生産要素を用いて、ある財を生産している。この図に関する説明として最も適切なものはどれか。なお、この図において費用曲線は直線であるとする。

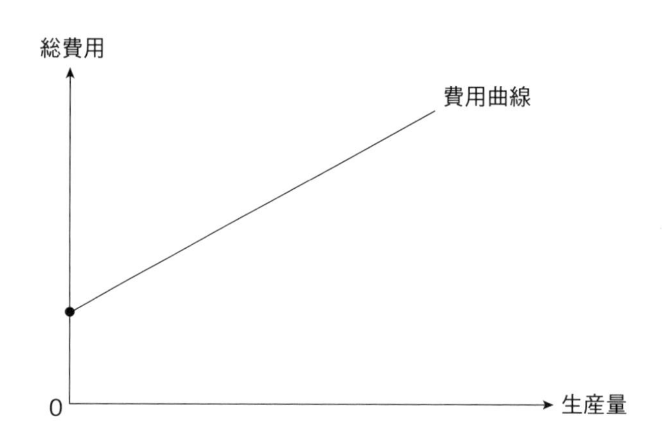

ア 生産量が0のとき、平均費用と平均可変費用はそれぞれ最も小さくなる。

イ 生産量が増えるにしたがって、限界費用は逓減し、平均可変費用は逓減する。

ウ 生産量が増えるにしたがって、限界費用は逓減し、平均費用は逓減する。

エ 生産量の大きさにかかわらず、限界費用は平均可変費用と等しい。

解説

スピテキLink▶ 1章2節

POINT

平均費用＝生産物１単位あたりの費用
→原点と総費用曲線上の点を結んだ直線の傾きの大きさ
平均可変費用＝生産物１単位あたりの可変費用
→総費用曲線の切片と総費用曲線上の点を結んだ直線の傾きの大きさ
限界費用＝生産量を１単位増加させたときに追加的に発生する費用
→総費用曲線への接線の傾きの大きさ

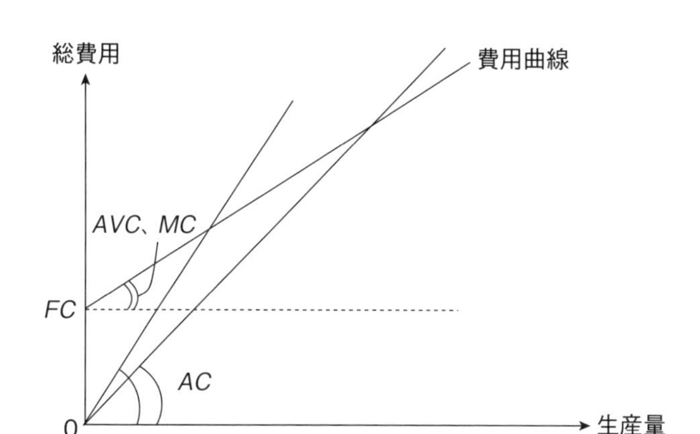

ア ×：上図より、生産量が増加するにつれて平均費用は逓減することがわかる。よって、生産量が０、すなわち原点において平均費用は最も大きくなる。また、費用曲線が直線であることから、平均可変費用は生産量によらず一定であることがわかる。

イ ×：費用曲線が直線であることから、限界費用は生産量によらず一定であることがわかる。また、選択肢アで触れたように、平均可変費用は生産量によらず一定である。

ウ ×：選択肢イで触れたように、限界費用は生産量によらず一定である。なお、平均費用が逓減することは選択肢アで触れたように正しい。

エ ○：正しい。選択肢アおよびイで触れたように、限界費用も平均可変費用も本問では、費用曲線の傾きの大きさに等しく一致する。

正解 ▶ エ

問題4 費用関数

1 ／ 2 ／ 3 ／

いま、競争的市場である製品を生産する企業を考える。総費用TCが当該製品の生産量xの関数として以下のように与えられている。

$$TC=180+5x-2x^2+x^3$$

この費用関数に基づいて計算された限界費用と平均可変費用の組み合わせとして、最も適切なものを下記の解答群から選べ。

a $5-4x+3x^2$

b $\dfrac{180}{x}+5-2x+x^2$

c $5-2x+x^2$

d $-4x+3x^2$

〔解答群〕

ア aとb

イ aとc

ウ bとc

エ bとd

解説

スピテキLink ▶ 1章2節

●限界費用：総費用関数を微分することで、求められる。
●平均可変費用：可変費用を生産量xで除すことで求められる。

限界費用関数を求めるためには、総費用関数を微分すればよい。

$$TC = 180 + 5x - 2x^2 + x^3$$
$$TC' = 5 - 4x + 3x^2 \quad \cdots\cdots \text{a}$$

平均可変費用関数を求めるためには、可変費用を生産量xで除せばよい。

$$TC = \underset{\text{固定費用}(FC)}{180} + \underbrace{5x - 2x^2 + x^3}_{\text{可変費用}(VC)}$$

$$\text{平均可変費用}(AVC) = \frac{5x - 2x^2 + x^3}{x}$$
$$= 5 - 2x + x^2 \quad \cdots\cdots \text{c}$$

正解 ▶ イ

問題5　利潤最大化行動　1／ 2／ 3／

ある企業の限界費用曲線が以下のように与えられるものとする。この企業についての説明として最も適切なものの組み合わせを下記の解答群から選べ。なお、固定費用はゼロであるものとする。

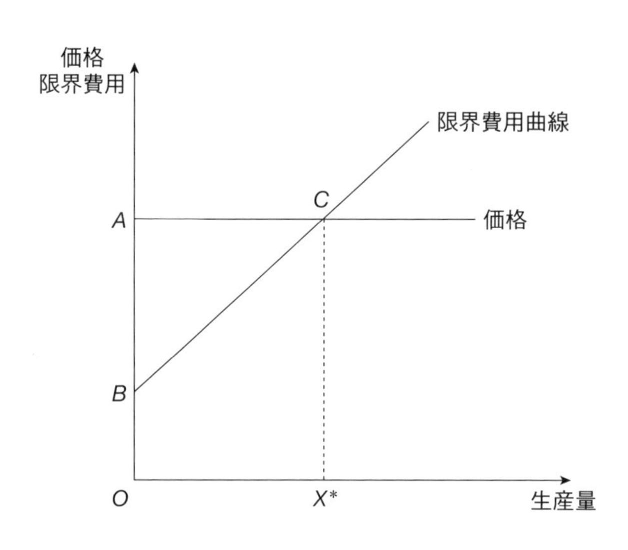

a　限界費用が価格を上回る限り、生産量を増加させる。
b　限界費用が価格を下回る限り、生産量を増加させる。
c　生産量 X^*のもとで、この企業の利潤はゼロである。
d　生産量 X^*のもとで、この企業の利潤は△ ABC で与えられる。

〔解答群〕

ア　aとc　　**イ**　aとd　　**ウ**　bとc　　**エ**　bとd

解説

スピテキLink▶ 1章2節3項、1章3節2項

POINT 競争企業の利潤最大化条件：「価格＝限界費用」となるように生産量を決定する。

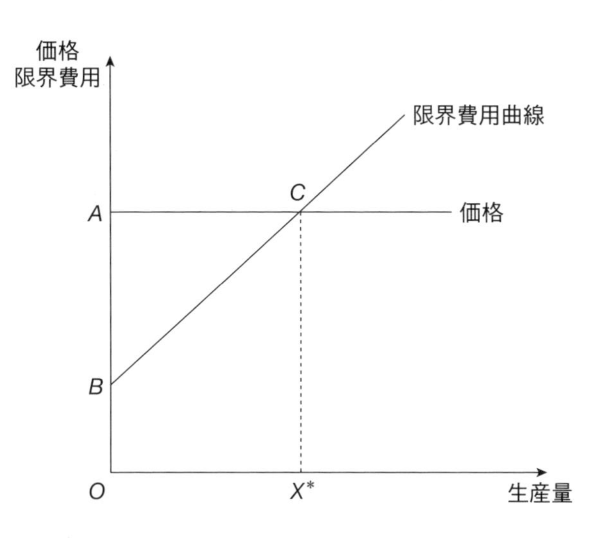

まず、本問では限界費用が右上がりの曲線で与えられている。ここで、価格と限界費用曲線の交点である点Cの生産量X^*より少ない生産量のもとでは、つねに限界費用が価格を下回っている。この状況では、生産量を増やすことで利潤を増加させることができる。他方、X^*より大きい生産量のもとでは、つねに限界費用が価格を上回っているため、生産量を減らす。したがって、bは正しく、aは誤りである。

また、生産量X^*のもとでは利潤が最大化されており、固定費用がゼロならばこの生産量のもとでの利潤はゼロより大きい（△ABCの面積に相当）。このことは以下のようにして確認できる。

生産量X^*のもとでの収入は長方形$OACX^*$、可変費用は台形$OBCX^*$として表すことができる。本問では固定費用はゼロと仮定されているので、（総）費用＝可変費用である。したがって、利潤＝収入－費用は△ABCで表すことができる。したがってdは正しく、cは誤りである。

正解 ▶ エ

問題6 利潤最大化行動

1 ／ 2 ／ 3 ／

利潤最大化行動に関する記述のうち、最も不適切なものはどれか。

ア 競争企業は価格を与えられたものとして、利潤を最大化するように生産量を決定する。

イ 競争企業の利潤最大化条件は「価格＝限界費用」であるが、プライステイカー企業にとって「価格＝限界収入」であり、「限界収入＝限界費用」と考えることもできる。

ウ 完全競争企業の利潤が最大化されるとき、費用曲線の接線の傾きが収入曲線の傾きに等しくなる。

エ プライステイカー企業の利潤が最大化されるとき、限界費用が最も低くなる。

解説

スピテキLink▶　1章3節2項

完全競争市場では、価格＝限界収入（生産量を1単位増加した場合の収入の増加分）が成立するため、利潤最大化条件は、「価格＝限界収入＝限界費用」と表すことができる。

ア　○：正しい。自らの行動が市場価格に影響を与えず、市場で決まる価格を受け入れるしかない経済主体のことを価格受容者（プライステイカー）とよぶ。すべての参加者が価格受容者であるような市場を完全競争市場とよぶ。また、価格受容者である企業を完全競争企業とよぶ。

イ　○：正しい。競争企業の利潤最大化条件は、「価格＝限界費用」である。このとき、価格が一定と仮定するから「価格＝限界収入」が成立する。追加1単位の生産で得られる収入と価格がイコールになるためである。よって、「限界収入＝価格＝限界費用」が成立する。

ウ　○：正しい。

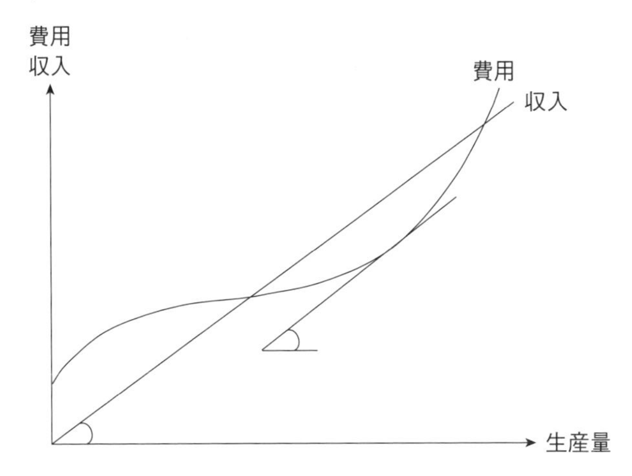

エ　×：プライステイカー企業の利潤最大化条件は「価格＝限界費用」である。生産量の拡大とともに限界費用が上昇するとしても、価格＞限界費用であれば、企業は生産量を拡大することになる。

正解　▶ エ

問題7　利潤最大化行動

1 ／　2 ／　3 ／

完全競争市場の下で、ある財を生産・販売する企業を考える。当該企業の収入曲線と総費用曲線は下図のように描かれる。また、収入曲線と同じ傾きを持つ補助線も描かれており、補助線は点Bで総費用曲線と接している。

この図に関する記述として最も適切なものを下記の解答群から選べ。

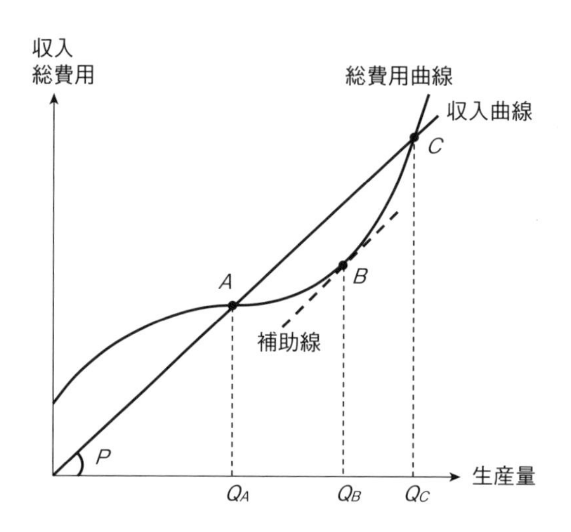

〔解答群〕

ア　A点では、限界収入＝限界費用という条件が満たされている。

イ　Pの大きさは、生産量がQ_AおよびQ_Cのときの平均費用を表している。

ウ　生産量Q_Bは、合理的な当該企業が利潤最大化するよう選択した生産量であり、横軸上のQ_BからB点までの高さは、生産量Q_Bのときの当該企業が得る利潤の大きさを表している。

エ　生産量Q_Cにおける利潤の大きさは、点A、点B、点Cを結んで形成されるレンズ型の面積の大きさによって示される。

オ　生産量がゼロのとき、当該企業では利潤も損失も発生していない。

解説

スピテキLink ▶ 1章3節2項

POINT

平均費用＝生産物１単位あたりの費用
→原点と総費用曲線上の点を結んだ直線の傾きの大きさ
平均可変費用＝生産物１単位あたりの可変費用
→総費用曲線の切片と総費用曲線上の点を結んだ直線の傾きの大きさ
限界費用＝生産量を１単位増加させたときに追加的に発生する費用
→総費用曲線への接線の傾きの大きさ
完全競争企業の利潤最大化条件：価格＝限界収入＝限界費用

ア　×：A点では、「限界収入（価格）＝平均費用」という条件が満たされている。

イ　○：正しい。Pの大きさは、生産量がQ_AおよびQ_Cのときの平均費用を表しているだけでなく、当該財の限界収入（価格）も表している。

ウ　×：「価格＝限界費用」となるため、生産量Q_Bは、合理的な当該企業が利潤最大化するよう選択した生産量であることは正しい。しかし、横軸上のQ_BからB点までの高さが表すものは、生産量Q_Bのときの当該企業が負担する総費用の大きさである。

エ　×：生産量Q_Cにおける当該企業が得る収入の大きさはCQ_C、当該企業が負担する総費用の大きさはCQ_Cである。よって、生産量Q_Cのとき、当該企業は利潤も損失も発生しない。

オ　×：生産量がゼロのとき、当該企業には収入はないが、総費用曲線の切片に相当する固定費用が発生する。よって、生産量がゼロのとき、固定費用分の損失が発生する。

正解 ▶ イ

問題8　利潤最大化行動

1 ／　2 ／　3 ／

下図のように、ある完全競争企業の平均費用曲線、平均可変費用曲線、限界費用曲線が描かれている。市場価格が P のとき、この企業が利潤を最大化する生産量は Q である。この図に関して、この企業の固定費用に相当する部分として、最も適切なものを下記の解答群から選べ。

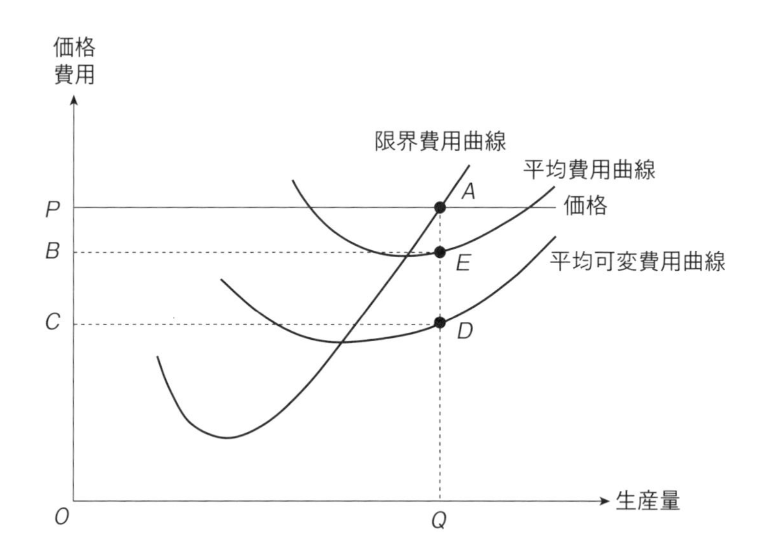

〔解答群〕

ア　四角形$PBEA$

イ　四角形$BCDE$

ウ　四角形$COQD$

エ　四角形$BOQE$

オ　四角形$PCDA$

解説

スピテキLink ▶ 1章3節2・3項

POINT
総収入＝価格×生産量
総費用＝平均費用×生産量
固定費用＝平均固定費用×生産量
　　　　＝総費用－可変費用
可変費用＝平均可変費用×生産量

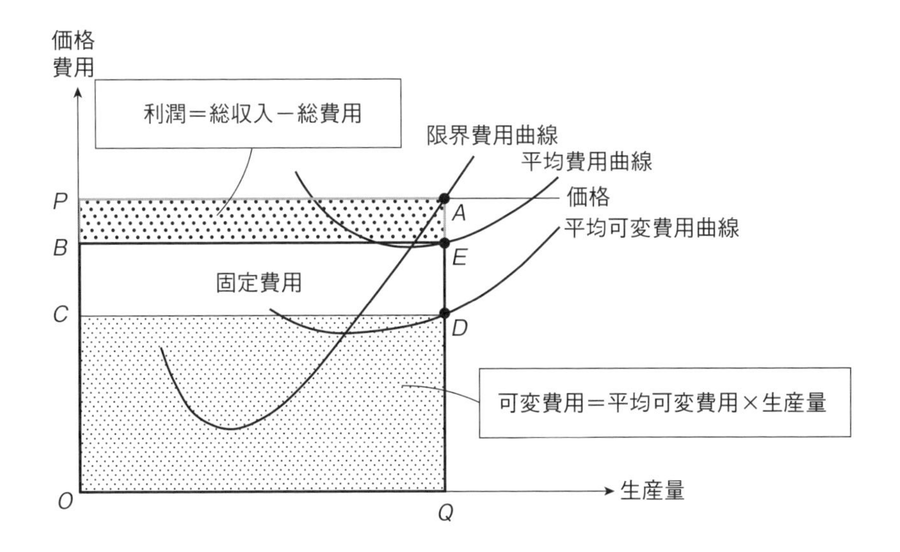

平均費用と平均可変費用の差は平均固定費用である。生産量が*Q*のときの平均費用は*EQ*、平均可変費用は*DQ*であるから、平均固定費用は*ED*である。よって、固定費用は*ED*と*OQ*の積に相当する四角形BCDEである。

（別解）
「総費用＝固定費用＋可変費用」より、
「固定費用＝総費用－可変費用」である。
ここで、「総費用＝平均費用（*EQ*）×生産量（*OQ*）＝四角形*BOQE*」、
「可変費用＝平均可変費用（*DQ*）×生産量（*OQ*）＝四角形*COQD*」であるから、
「固定費用＝四角形*BOQE*－四角形*COQD*＝四角形BCDE」である。

正解 ▶ イ

問題 9　損益分岐点・操業停止点

1 ／ 2 ／ 3 ／

下図には、ある製品を生産する企業の平均費用曲線、平均可変費用曲線、限界費用曲線が描かれている。この企業は完全競争市場の中で利潤を最大化するように行動している。

この図に関する記述として、最も適切なものを下記の解答群から選べ。

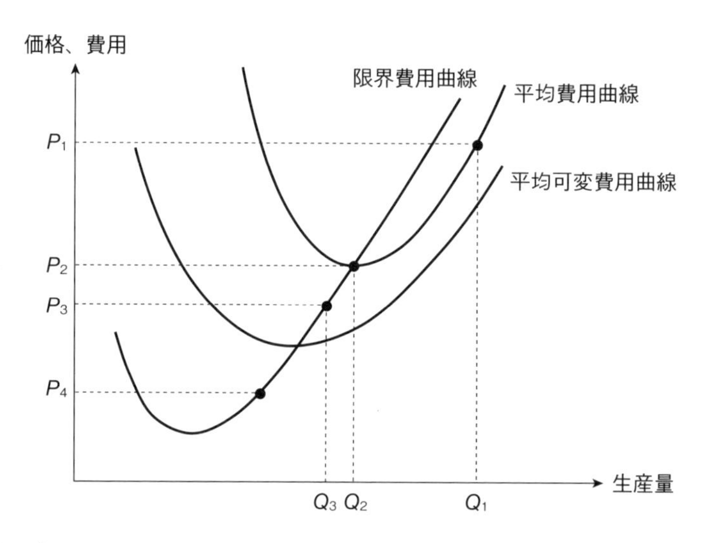

〔解答群〕

ア　生産する製品の市場価格がP_1のときの生産量はQ_1となり、この企業は黒字になる。

イ　生産する製品の市場価格がP_2のときの生産量はQ_2となり、この企業は赤字となるが、可変費用はすべて回収できるため生産を行う。

ウ　生産する製品の市場価格がP_3のときの生産量はQ_3となり、この企業は赤字となるが、可変費用をすべて回収し固定費用の一部を回収できるため生産を行う。

エ　生産する製品の市場価格がP_4のとき、この企業は生産を行わないため、損失は発生しない。

解説

スピテキLink▶　1章3節2・3項

完全競争企業の利潤最大化条件：価格（P）＝限界費用（MC）となるように生産量を決定。

価格	可変費用	固定費用	利潤
P_1	○	○	プラス
P_2（損益分岐点価格）	○	○	ゼロ
P_3	○	△	マイナス
P_4 （操業停止点より低い）	△ →○	×	マイナス →生産を行わないことで固定費用分の損失が発生する

ア　×：完全競争企業の利潤最大化条件より、価格と対応する限界費用のところで生産量が決まる。生産する製品の市場価格がP_1のときの生産量はQ_1とはならない。なお、黒字になることは正しい。

イ　×：生産する製品の市場価格がP_2のとき、損益分岐点となるため、この企業は赤字とはならない。

ウ　○：正しい。この企業は赤字となるが、固定費用の一部および可変費用のすべてを回収する。

エ　×：操業停止点よりも価格が低い場合、生産を行わないことで、固定費用分の損失が発生する。

正解 ▶ ウ

問題10 供給曲線

1 ／ 2 ／ 3 ／

企業の供給曲線に関する記述として、最も適切なものはどれか。

ア　企業の固定費用がｔ円上昇した場合、供給曲線はｔ円だけ上方シフトするが、損益分岐点価格は変わらない。

イ　企業に販売１単位あたりｔ円の従量税が課されても、費用構造は変わらないため、供給曲線はシフトしない。

ウ　企業に税率ｔの従価税が課された場合、供給曲線は税率ｔの分だけ平行に上方シフトする。

エ　生産能力に余剰がある産業では、供給の価格弾力性は大きくなるため、供給曲線の傾きは緩やかになる。

解説

スピテキLink▶　1章4節2項、1章5節2～4項

課税による供給曲線のシフトや、供給曲線の傾きについて、理解しておきたい。

ア　×：企業の固定費用がｔ円上昇した場合、平均可変費用関数および限界費用関数は変わらず、平均費用（曲線）のみ上昇する。よって損益分岐点（損益分岐点価格）が上昇するだけで供給曲線（限界費用曲線に相当）はシフトしない。

イ　×：企業に販売1単位あたりｔ円の従量税が課されたとする。従量税は1単位あたりコストの上昇と同じ効果をもつため、供給曲線はｔ円だけ上方シフトすることになる。

ウ　×：企業に税率ｔの従価税が課された場合、供給曲線は平行ではなく、傾きを大きくして（傾きを急にして）上方シフトする。

エ　○：正しい。生産能力に余剰がある産業では、価格上昇に対して速やかに製品を増産することができる。つまり、供給の価格弾力性は大きくなり、供給曲線の傾きは緩やかになる。

正解　▶エ

問題11 供給の価格弾力性

1 ／ 2 ／ 3 ／

下図 S_1 と S_2 は２つの供給曲線を描いたものである。以下の記述のうち、最も適切なものの組み合わせを下記の解答群から選べ。

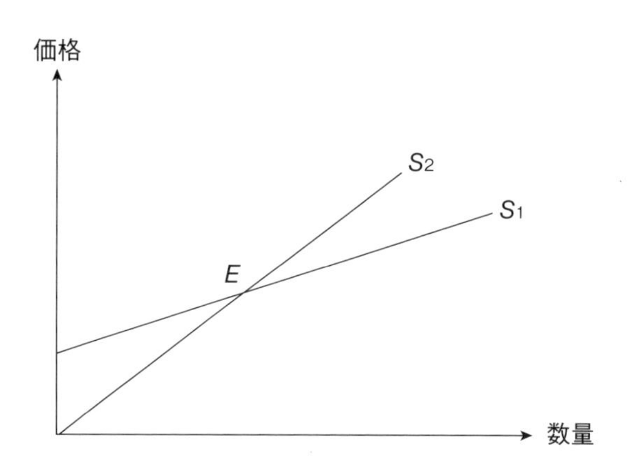

a 点 E においては、供給曲線 S_1 のほうが、S_2 よりも供給の価格弾力性は大きい。

b 点 E においては、供給曲線 S_2 のほうが、S_1 よりも供給の価格弾力性は大きい。

c 供給の価格弾力性は、$\dfrac{\text{供給量の変化率}}{\text{価格の変化率}}$ と定義される。

d 供給の価格弾力性は、$\dfrac{\text{価格の変化率}}{\text{供給量の変化率}}$ と定義される。

〔解答群〕

ア aとc　　**イ** aとd　　**ウ** bとc　　**エ** bとd

解説

スピテキLink ▶ 1章4節

POINT 供給の価格弾力性＝$\frac{\text{供給量の変化率}}{\text{価格の変化率}}$

傾きが緩やかな供給曲線ほど、供給の価格弾力性は大きくなる。

a ○：正しい。

b ×：供給曲線の傾きが緩やかなほど、価格が変化した場合の数量の変化が大きくなることがグラフから読み取れる。つまり、S_2のほうが、S_1よりも供給の価格弾力性は小さい。

c ○：正しい。

d ×：供給の価格弾力性＝$\frac{\text{供給量の変化率}}{\text{価格の変化率}}$である。

正解 ▶ ア

問題12 供給の価格弾力性

1 ／ 2 ／ 3 ／

供給の価格弾力性に関する説明として、最も適切なものはどれか。

ア 機械化が進んだ工業製品に比べ、農作物や石油は供給の価格弾力性が大きい。

イ 天然資源などすぐに代替が利かない財の場合、供給の価格弾力性は大きくなる傾向がある。

ウ ある産業内で遊休状態にある設備が多くある場合には、財の供給の価格弾力性は小さくなる。

エ 供給の価格弾力性が大きな財は、需要が増加しても、価格はあまり上昇しないが、供給の価格弾力性が小さな財は、需要が増加すると、価格は大きく上昇することになる。

解説

スピテキLink ▶　1章4節2項

POINT 供給の価格弾力性が大きいということは、価格の変化に対し、供給量の変化が大きいということである。価格が上昇した場合には、供給量が大きく増加し、価格が低下した場合には、供給量が大きく減少する。

ア ×：供給の価格弾力性の大きさを決める最大の要因は、当該の財の価格が上昇するとき、どれだけ速やかに費用の増加を伴うことなく供給量を増やせるかどうかである。農作物や石油は機械化が進んだ工業製品と比べ、価格が上昇したからといって、すぐに供給量を増やせるわけではない。すなわち、農作物や石油は機械化が進んだ工業製品に比べ、価格弾力性は小さくなる。

イ ×：天然資源などすぐに代替が利かない財の場合、価格が変化しても供給量がそれほど変化しない。よって、供給の価格弾力性は小さくなる。

ウ ×：設備がフル稼働状態にある場合は、供給量を増やすために、新たな設備投資が必要となり、財の価格は大幅に上昇してしまう。一方、遊休状態にある設備が多くある場合には、新たな設備投資の必要はなく、少しの価格上昇で供給量が増やせる。つまり、価格上昇に対する供給量の増加が多いため、供給の価格弾力性は大きくなる。

エ ○：正しい。均衡状態から需要が増加すると、需要量＞供給量となり、価格が上昇する。その価格上昇に対し、供給の価格弾力性が大きな財は、小さな財と比べ速やかに供給量を増加させる。その結果、需要量と供給量が均衡し価格がもとの水準に保たれる。つまり、供給の価格弾力性が大きな財は小さな財と比べ、需要が増加しても価格はあまり上昇しないことになる。

正解 ▶ エ

問題13 企業行動

1 ／ 2 ／ 3 ／

企業の行動に関する以下の選択肢のうち、最も適切な組み合わせを下記の解答群から選べ。

a 供給曲線は、その財の市場価格と、財を生産する企業の収入を最大にするような生産量との関係を描いた曲線である。

b 固定費用は利潤最大化条件に影響を与えない。

c 利潤最大化のための条件は、収入と費用が等しくなることである。

d 供給量が価格変化に対して敏感に反応するとき、供給曲線は水平に近い形をしている。

e 企業がプライステイカーとして行動する場合は、企業の費用構造が変化しても、供給曲線の形状に変化を及ぼさない。

〔解答群〕

ア aとb **イ** aとc **ウ** bとd **エ** cとe **オ** dとe

解説

スピテキLink ▶ 1章3節2項、1章4節

経済学では、企業は利潤最大化行動をとると仮定するが、企業の利潤最大化問題をまとめると、以下のようになる。

・企業の利潤は、収入から費用を引いたものとして定義される。
・収入は価格に生産量を掛けたものであり、費用は費用関数で表される。
・企業は利潤を最大にするような生産量を決定する。
・利潤最大化の条件は、価格が限界費用に等しくなることである。
・利潤最大化問題を解くことにより、価格と供給量の関係を表す供給関数が得られる。

a ×：上で示したように、供給関数は利潤最大化問題から得られる。よって供給曲線とは、その財の市場価格と、企業の収入ではなく利潤を最大にするような生産量との関係を描いた曲線となる。

b ○：正しい。限界費用とは、財の生産を限界的に1単位増加させたときに追加的にかかる費用のことである。固定費用は生産量にかかわらずに負担しなければならない費用のことであるため、固定費用は限界費用には影響を及ぼさない。よって、上であげた利潤最大化条件は、固定費用に影響されない。

c ×：上で示したように、利潤最大化の条件は価格＝限界費用である。

d ○：正しい。供給量が価格変化に敏感に反応するとき、価格がほんの少し上下しただけでも、供給量は大幅に増減する。これは、供給曲線が水平に近い形をしていることにほかならない。

e ×：企業の利潤最大化条件は、価格＝限界費用であった。企業の費用構造の変化は、費用関数が変化することを意味するため、以前と比べて限界費用曲線の形も変化しなければならない。結果として、供給曲線の形状も変化してしまう。

正解 ▶ ウ

問題14 課税の効果

1 ／ 2 ／ 3 ／

財の生産に対して従量税および従価税を課したときの供給曲線の変化を最も適切に表しているものを下記の解答群から選べ。

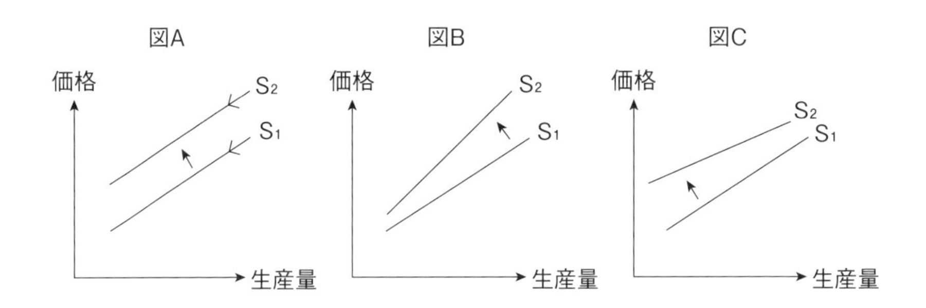

〔解答群〕

ア 従量税　A　　従価税　B
イ 従量税　A　　従価税　C
ウ 従量税　B　　従価税　A
エ 従量税　B　　従価税　C
オ 従量税　C　　従価税　A

解説

スピテキLink▶　1章5節2・3項

従量税をｔ円としたとき、供給曲線はｔ円だけ上方にシフトする。

図Ａは従量税、図Ｂは従価税の効果を示している。

正解 ▶ ア

問題15 課税の効果

1 ／　2 ／　3 ／

定額税導入が供給曲線に与える効果に関する記述の空欄A、Bに入る語句として、最も適切なものの組み合わせを下記の解答群から選べ。

定額税が導入された場合、供給曲線は［A］、［B］が上昇することになる。

〔解答群〕

ア　A：上側にシフトし　　B：損益分岐点価格
イ　A：上側にシフトし　　B：操業停止点価格
ウ　A：下側にシフトし　　B：損益分岐点価格
エ　A：下側にシフトし　　B：操業停止点価格
オ　A：シフトせず　　B：損益分岐点価格

解説

スピテキLink ▶ 1章5節4項

定額税：生産量、価格とは無関係に定額だけ支払う税

定額税は固定費用とまったく同じように解釈できる。したがって、定額税の効果を見るには固定費用上昇の効果を見ればよい。固定費用の上昇は、平均可変費用関数をまったく変化させず、平均費用のみ上昇させる。したがって、損益分岐点価格が上昇するのみで供給曲線はシフトしないことになる。

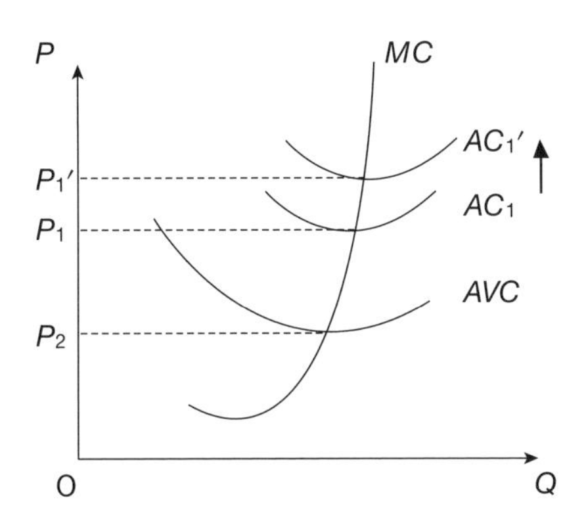

正解 ▶ オ

問題16 生産関数

1 ／ 2 ／ 3 ／

次の文章を読んで空欄Aから空欄Dに入る最も適切な語句の組み合わせを下記の解答群から選べ。

ある完全競争企業の生産要素投入量の決定を考える。生産要素1単位を追加的に投下した場合に生じる費用の増加分を［ A ］といい、投下する量にかかわらず一定として考える。一方、生産要素を1単位追加的に投入した場合に生じる収入の増加分を［ B ］といい、［ C ］×［ D ］で求めることができる。収穫逓減を前提とした場合、［ B ］は逓減する。よって、企業は［ A ］＝［ B ］となるように生産要素投入量を決定することになる。

〔解答群〕

ア　A：限界費用　B：限界生産物価値　C：要素価格　D：均衡取引量

イ　A：限界費用　B：限界収入　C：要素価格　D：均衡取引量

ウ　A：限界費用　B：限界収入　C：要素価格　D：限界生産物

エ　A：要素価格　B：限界生産物価値　C：市場価格　D：限界生産物

オ　A：要素価格　B：限界収入　C：市場価格　D：均衡取引量

解説

スピテキLink▶　1章6節

生産関数における利潤最大化条件：「限界生産物価値＝要素価格」となるように生産要素投入量を決定する。

限界生産物価値とは「生産要素の投入量を1単位増加させたときに増加する収入の増加分」であり、「市場価格×限界生産物（生産要素の投入量を1単位増加させたときの生産量の増加分）」で求めることができる（ミクロ経済学の前提により、生産量＝販売量である）。なおミクロ経済学では多くの場合、収穫逓減（生産要素投入量の増加に伴い限界生産物が低下する）、市場価格一定を想定しているので、生産要素投入量の増加に伴い限界生産物価値は逓減する。一方、要素価格とは「生産要素を1単位増加させたときの費用の増加分」であり、一定と考える（限界要素価格などと呼称したほうが本来的にはわかりやすいかもしれない）。たとえばある工場で新たに資本（機械設備）1台を20万円（要素価格に相当）で購入するとする。製造している製品の価格が1個5万円、その資本を導入することによって生産量が5個増えたとする（限界生産物に相当）。この場合、限界生産物価値は「5万円×5個＝25万円」となる。

生産関数における利潤最大化条件が意味することは、「生産要素1単位を追加的に投入することによって増加する収入が費用の上昇（1台あたりの導入費用つまり要素価格に相当）を上回る限り、追加的な利潤が生じるので生産要素を投下して生産量を増やしたほうがよい」ということであり、費用関数の利潤最大化条件である「限界収入＝限界費用となるまで生産する」と考え方は同じである。限界生産物価値は生産関数における限界収入であり、要素価格は生産関数における限界費用と考えればわかりやすいだろう。

以上より、空欄Aには要素価格が、空欄Bには限界生産物価値が、空欄Cには市場価格が、空欄Dには限界生産物がそれぞれ該当する。

正解 ▶ エ

問題17　生産関数

1 ／　2 ／　3 ／

下図には、労働のみを用いて１つの最終生産財を生産する場合の生産関数が描かれている。

この図に関する記述の正誤の組み合わせとして、最も適切なものを下記の解答群から選べ。

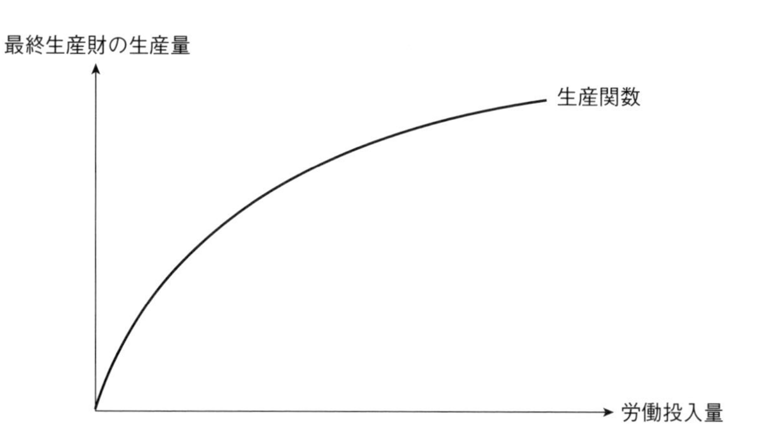

a　平均生産物の大きさは、労働投入量が増えるほど大きくなる。

b　限界生産物の大きさは、労働投入量が増えるほど大きくなる。

c　労働投入量がある程度まで大きくなると、限界生産物は平均生産物よりも大きくなる。

〔解答群〕

ア　a：正　b：正　c：誤

イ　a：正　b：誤　c：誤

ウ　a：誤　b：正　c：正

エ　a：誤　b：誤　c：正

オ　a：誤　b：誤　c：誤

解説

スピテキLink▶ 1章6節

POINT 平均生産物：生産要素１単位あたりの生産量（生産量÷生産要素投入量）

→原点と生産関数上の点を結んだ直線の傾きの大きさ

限界生産物：生産要素の投入量を１単位増加させたとき増加する生産量

→生産関数への接線の傾きの大きさ

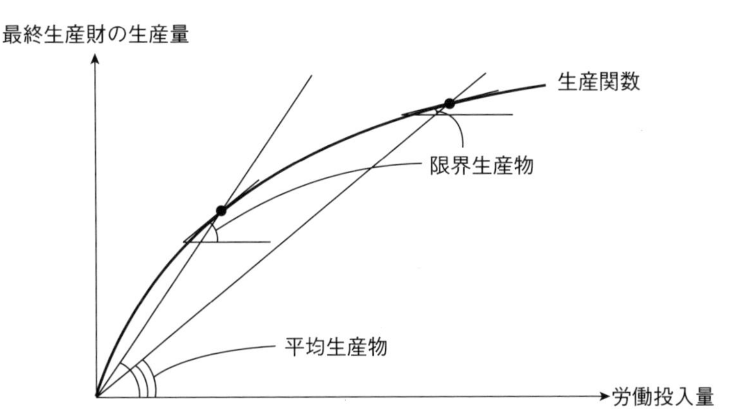

a ×：平均生産物の大きさは「原点と生産関数上の点を結んだ直線の傾きの大きさ」であり、労働投入量が増えるほど小さくなる。

b ×：限界生産物の大きさは「生産関数への接線の傾きの大きさ」であり、労働投入量が増えるほど小さくなる。

c ×：図の生産関数では、どの労働投入量であっても「生産関数への接線の傾きの大きさ」のほうが「原点と生産関数上の点を結んだ直線の傾きの大きさ」よりも小さくなる。よって、どの労働投入量であっても限界生産物の大きさは平均生産物の大きさよりも小さくなる。

正解 ▶ オ

問題18 生産関数

1 ／ 2 ／ 3 ／

下図には、労働のみを用いて1つの最終生産財を生産する場合の生産関数1および生産関数2が描かれている。

この図に関する記述として、最も適切なものの組み合わせを下記の解答群から選べ。ただし、この最終生産財の市場価格は一定とする。

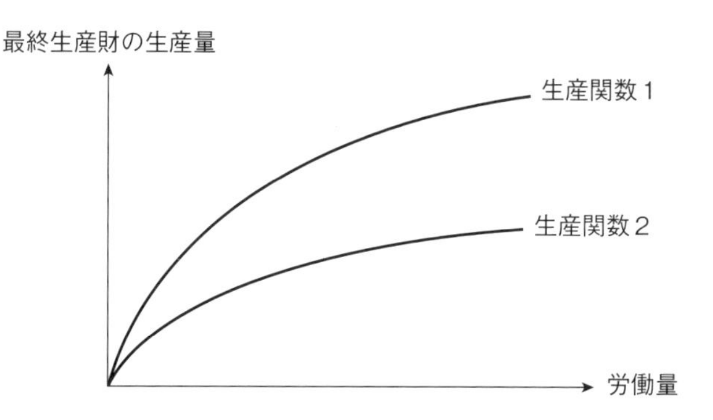

a 生産関数1の限界生産物および生産関数2の限界生産物は逓減している。

b 生産関数1の平均生産物および生産関数2の平均生産物は逓減している。

c 生産関数1および生産関数2の限界生産物価値は一定である。

d 他の条件が等しく、同じ生産量を実現しているとき、生産関数1を有する企業の労働生産性は生産関数2を有する企業の労働生産性よりも低い。

〔解答群〕

ア aとb
イ aとc
ウ aとbとc
エ aとbとd
オ bとd

解説

スピテキLink▶ 1章6節

POINT

平均生産物＝生産要素１単位あたりの生産量
→原点と生産関数上の点を結んだ直線の傾きの大きさ
限界生産物＝生産要素の投入量を１単位増加させたときに増加する生産量
→生産関数への接線の傾きの大きさ
限界生産物価値＝生産要素の投入量を１単位増加させたときの収入の増加分

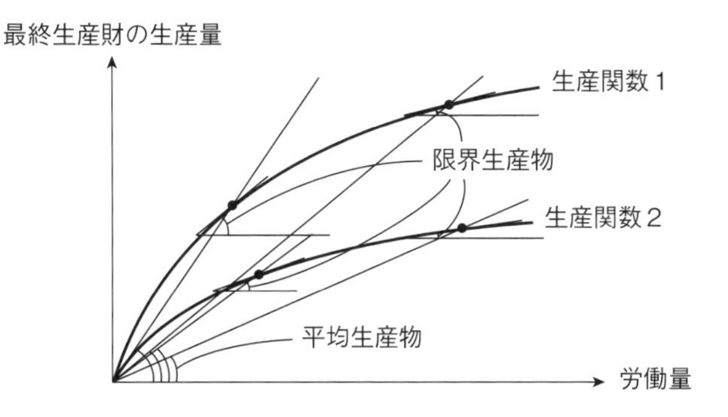

a ○：正しい。生産関数１および生産関数２への接線の傾きの大きさは、生産量の増加とともに小さくなっている。

b ○：正しい。原点と生産関数１および生産関数２上の点を結んだ直線の傾きの大きさは、生産量の増加とともに小さくなっている。

c ×：選択肢ａより、生産関数１および生産関数２の限界生産物は逓減している。問題文にあるように、この最終生産財の市場価格は一定であるため、「市場価格×限界生産物」である限界生産物価値は逓減する。

d ×：労働生産性は「$\frac{生産量}{労働投入量}$」で表される。グラフより同じ最終生産財の生産量であれば、労働量は生産関数２を有する企業のほうが多い。よって、生産関数１を有する企業のほうが生産関数２を有する企業よりも労働生産性が高い。

正解 ▶ ア

問題 19　生産関数

1 ／ 2 ／ 3 ／

下図のような生産関数を持つ企業を考える。

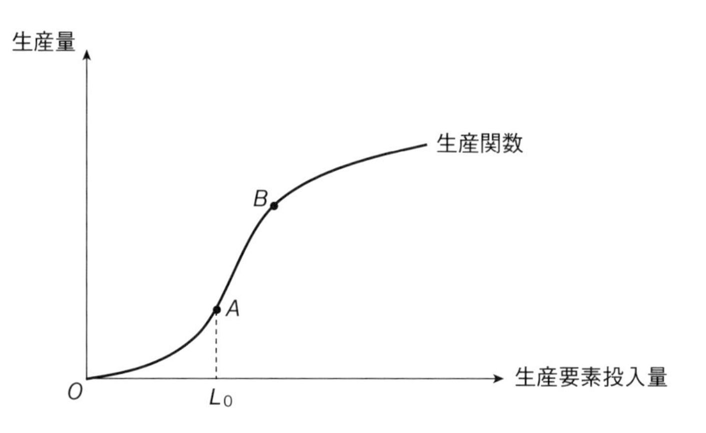

この図に関する説明として、最も適切なものの組み合わせを下記の解答群から選べ。

a　平均生産物の大きさは、生産要素投入量が増加するほど大きくなる。

b　点 A よりも点 B のほうが、生産効率は高い。

c　生産要素投入量が L_0 まででは、収穫逓減となっている。

d　生産要素投入量が L_0 より大きくなると、収穫逓減となる。

〔解答群〕

ア　aとc　　**イ**　aとd　　**ウ**　bとc　　**エ**　bとd

解説

スピテキLink ▶ 1章6節

POINT
平均生産物＝生産要素１単位あたりの生産量
→原点と生産関数上の点を結んだ直線の傾きの大きさ

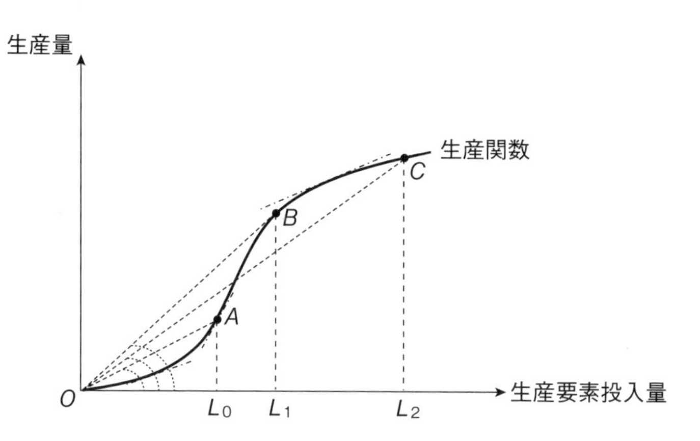

a ×：平均生産物の大きさは、原点と生産関数上の点を結んだ直線の傾きの大きさで表すことができる。図において、平均生産物の大きさは、生産要素投入量がゼロからL_1に至るまでは大きくなっていくが、その水準（L_1）を超えると小さくなっていく。L_1よりも生産要素投入量が多いL_2（生産関数上の点C）では、生産要素投入量L_1のときよりも傾きが小さくなっている。

b ○：正しい。「生産効率が高い」とは、より少ない生産要素投入量でより多くの生産量を生み出せている状況のことを指す。これは、生産要素投入量１単位あたりの生産量（平均生産物）がより多い状態ともとらえることができるため、平均生産物の大きさで判断する。平均生産物の大きさは、「点A ＜点B」であるため、点Aよりも点Bのほうが、生産効率は高いといえる。

c ×：生産要素投入量がL_0まででは、収穫逓増となっている。収穫逓増とは、生産要素投入量の増加に伴い、限界生産物（＝生産関数への接線の傾きの大きさ）が上昇する状態のことをいう。

d ○：正しい。

正解 ▶ エ

問題 20	無差別曲線	1 ／	2 ／	3 ／

下図には、X財、Y財を購入するある消費者の無差別曲線U_1、U_2が描かれている。この図に関する記述として、最も適切なものの組み合わせを下記の解答群から選べ。ただし、効用水準は$U_1 < U_2$とする。

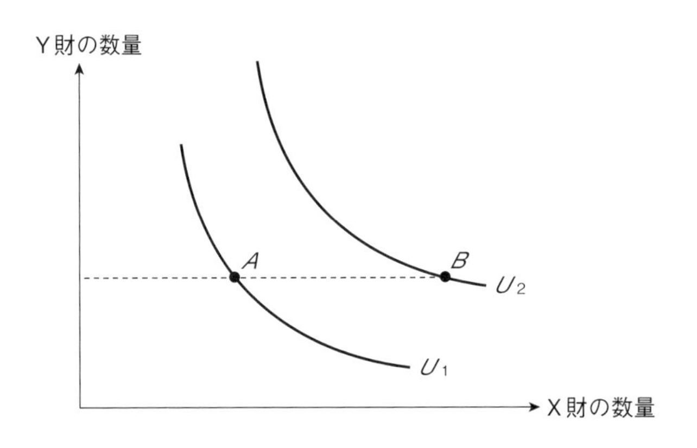

a　無差別曲線U_1、U_2ともにY財の消費量を一定とし、X財の消費量を増加させた場合に、必ず効用が高くなる。

b　点Aと点Bは、Y財の消費量が同じであるため、効用水準は同じである。

c　無差別曲線U_1、U_2ともにX財のY財に対する限界代替率は逓減する。

d　財の価格や所得の変化によって、無差別曲線U_1から無差別曲線U_2へと右方へシフトする。

〔解答群〕

ア　aとb
イ　aとc
ウ　bとc
エ　bとd
オ　cとd

解説

スピテキLink▶　2章1節

POINT X財のY財に対する限界代替率：X財を1単位減少させたとき、効用水準を一定に保つために必要なY財の消費の増加量
→無差別曲線への接線の傾きの大きさ（絶対値）

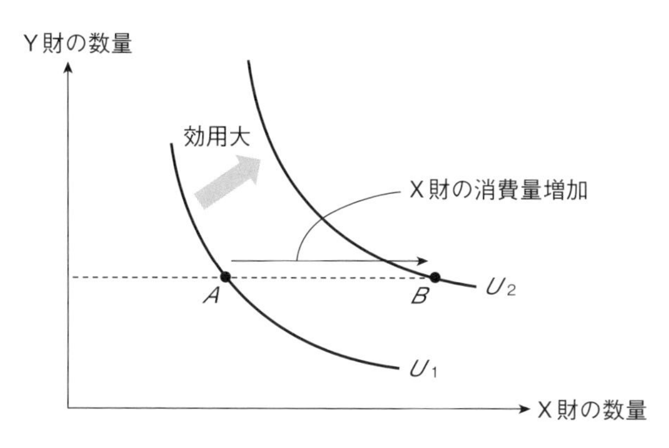

a　○：正しい。上図の点Aから点Bへ移動するように、Y財の消費量を一定とし、X財の消費量を増加させた場合に、右上の無差別曲線に移動する。本問は右上の無差別曲線のほうが、効用水準が高い（$U_1 < U_2$）。

b　×：点Aと点Bは異なる無差別曲線上にあり、その効用水準は$U_1 < U_2$であるから、点Bのほうが点Aよりも効用水準は高い。

c　○：正しい。X財のY財に対する限界代替率は無差別曲線への接線の傾きの大きさ（絶対値）で表され、X財の消費量を増加させると、その傾きの大きさは無差別曲線U_1、U_2ともに小さくなっていく。

d　×：無差別曲線は同じ効用水準を得られる消費量の組み合わせを結んだ曲線であり、無数に存在する。効用が変わったときは、別の無差別曲線上の点の組み合わせになるわけであって、財の価格や所得の変化によって、シフトするものではない。

正解 ▶ イ

問題21 予算制約線

1 ／ 2 ／ 3 ／

予算のすべてをX財とY財に消費をしている家計の予算制約線に関する記述の正誤の組み合わせとして、最も適切なものを下記の解答群から選べ。

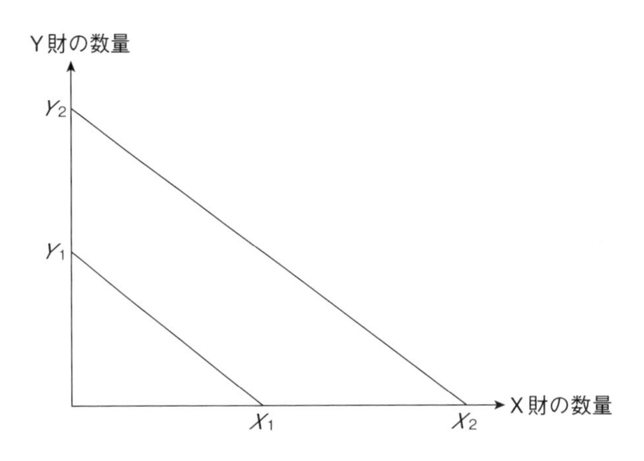

a　予算制約線の傾きの大きさは、2財の価格比を表し、X財の価格が上昇すると、予算制約線は急勾配に描かれる。

b　所得が増加すると、予算制約線X_1Y_1はX_2Y_2へとシフトする。

c　縦軸の切片の値は、所得全部を使ってY財のみを購入する場合のY財の価格を示している。

〔解答群〕

ア　a：正　b：正　c：正
イ　a：正　b：正　c：誤
ウ　a：正　b：誤　c：誤
エ　a：誤　b：正　c：正
オ　a：誤　b：誤　c：正

予算制約線：すべての所得を余すところなく使い切った場合に購入できる2財の消費量の組み合わせ

a　○：正しい。予算制約線の傾きの大きさは、2財の価格比を表す。予算制約線は財の価格の変化により、以下のように変化する。

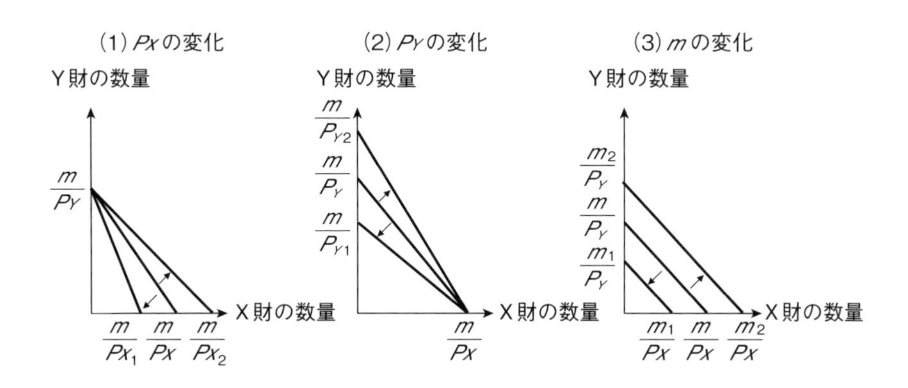

X財の価格が上昇すると、(1)の図の横軸切片は$\frac{m}{P_{X1}}$へと変わり予算制約線は急勾配に描かれる。

b　○：正しい。(3)の図の$\frac{m_2}{P_X}$ $\frac{m_2}{P_Y}$へと変わり、本問の場合、X_2Y_2へとシフトする。

c　×：縦軸の切片の値は、所得全部を使ってY財のみを購入する場合のY財の購入量を示している。

正解 ▶ イ

問題22　最適消費点

1 ／　2 ／　3 ／

ある個人が限られた所得を有しており、X財とY財を購入することができる。下図は、予算制約線Aと無差別曲線U_1が点Eで接する状況から、予算制約線Bと無差別曲線U_2が点Fで接する状況へと変化した様子を描いたものである。なお、所得の変化は生じていない。この図に関する記述の正誤の組み合わせとして、最も適切なものを下記の解答群から選べ。

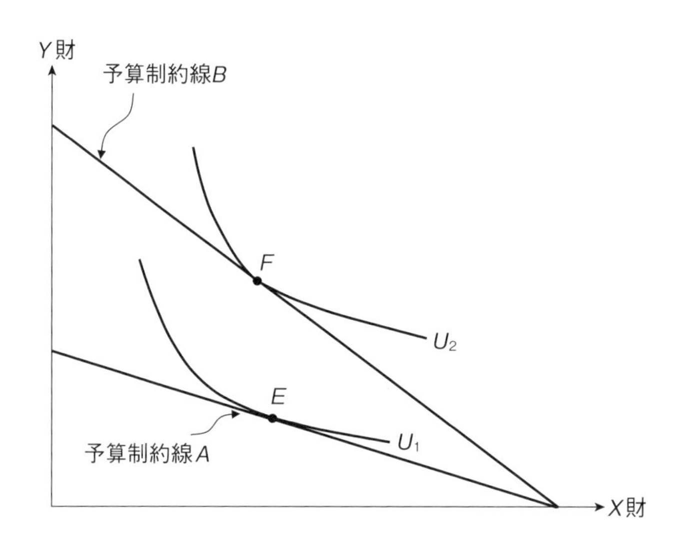

a　無差別曲線U_1、U_2ともに限界代替率は逓減している。

b　単調性が成り立つ場合、無差別曲線U_1上でE点から得られる効用水準は、無差別曲線U_2上でF点から得られる効用水準よりも高い。

c　予算制約線Aから予算制約線Bへの変化は、X財の価格の下落を表している。

〔解答群〕

ア　a：正　b：正　c：誤

イ　a：正　b：誤　c：正

ウ　a：正　b：誤　c：誤

エ　a：誤　b：正　c：正

オ　a：誤　b：誤　c：正

解説

スピテキLink▶　2章1～3節

POINT　限界代替率＝一方の財を１単位減少させたとき、効用水準を一定に保つために必要な他方の財の消費の増加量
→無差別曲線への接線の傾きの絶対値

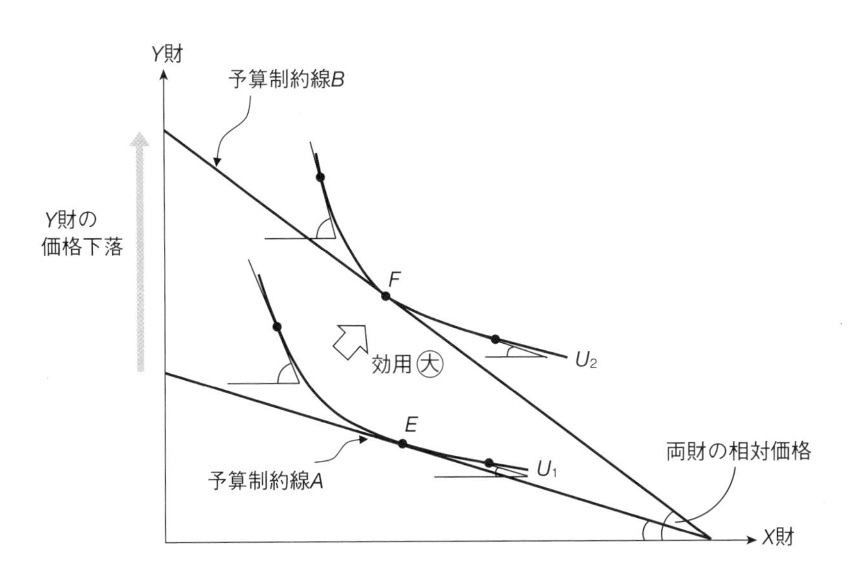

a　○：正しい。限界代替率は「無差別曲線への接線の傾き」で示される。上図より、X財を増加させると「無差別曲線への接線の傾き」は無差別曲線U_1、U_2ともに小さくなっていることがわかる。

b　×：単調性とは一方の消費量を一定とし、他方の消費量を増加させた場合に、必ず効用が高くなるという関係が両財についてつねに成り立つということである（両方の財とも消費量が多いほど効用が高くなる）。単調性が成り立っている場合には、右上にある無差別曲線のほうが効用水準は高くなるため、無差別曲線U_1上の点よりも無差別曲線U_2上の点のほうが効用水準は高い。

c　×：予算制約線Aから予算制約線Bへの変化は、Y財の価格の下落を表している。

正解 ▶ ウ

問題23　最適消費点

1 ／ 2 ／ 3 ／

所得のすべてをX財とY財の購入にあてている合理的な消費者が、下図に描かれている予算制約線*A*に直面したとき、この消費者は点*D*で表される財の組み合わせを消費し、その後、予算制約線が*B*に変化すると、この消費者は点*F*で表される財の組み合わせを消費した。

このとき、この消費者が図中の点*C*、点*D*、点*E*、および点*F*の各点で得られる効用の大きさを表したものとして最も適切なものを下記の解答群から選べ。

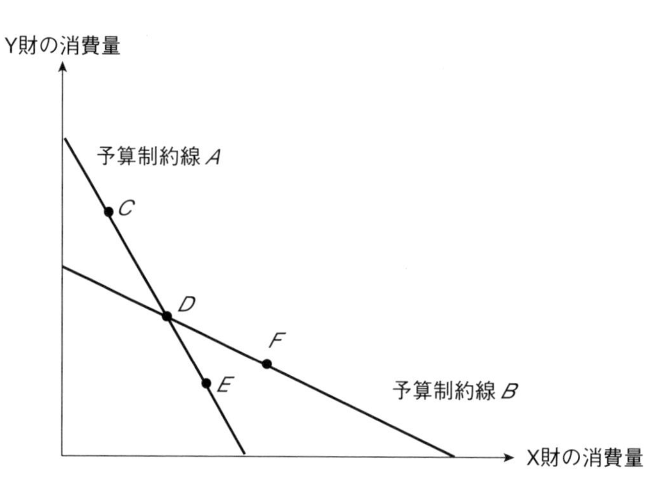

〔解答群〕

ア　$C<D<E$

イ　$C<D<F$

ウ　$D<E<F$

エ　$D<F<E$

解説

スピテキLink▶　2章3節

最適消費点：予算内で効用が最大化する消費量の組合せを表す点

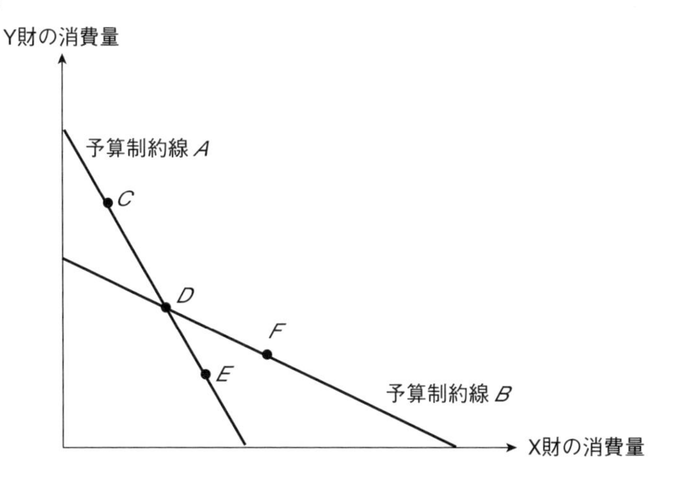

予算制約線がAであれば、点C、点D、点EのX財、Y財の消費量の組み合わせが可能であるが、このうち点Dが最も高い効用水準であるのであれば、効用水準の大小関係は、点C、点E<点Dとなる。

予算制約線がBであれば、点D、点E、点FのX財、Y財の消費量の組み合わせが可能であるが、このうち点Fが最も高い効用水準であるのであれば、効用水準の大小関係は、点D、点E<点Fとなる。

以上より効用水準の大小関係は、点C、点E<点D<点Fとなる。

正解 ▶ イ

問題24　効用最大化行動

1／ 2／ 3／

消費者の効用最大化行動に関する以下の記述のうち、最も適切なものはどれか。ただし、ともに正の効用をもたらすX財とY財を所得の範囲内で消費する2財モデルを前提とし、また通常の経済学における仮定はすべて満たされているものとする。

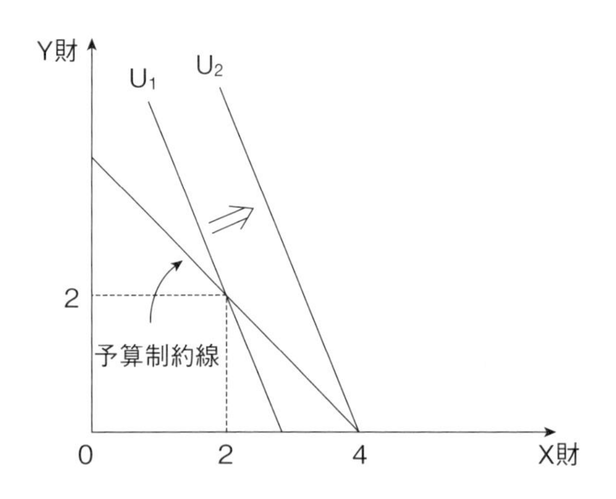

ア　無差別曲線の形状が、上図（U_1およびU_2）のような直線ではなく原点に対して凸の曲線の場合、効用を最大化する消費量を組み合わせた点では、各財の限界効用が価格比と等しくなっている。

イ　選好が単調性を満たす場合であっても、所得を全額使わないような消費の組み合わせのみが効用を最大化していることもある。

ウ　片方の財の価格がゼロの場合、無限に効用を増やすことが可能である。

エ　上図において、X財とY財をそれぞれ2単位ずつ消費する組み合わせとX財のみを4単位消費する組み合わせがともに予算制約線上の点であったとする。このとき、どのような消費者であってもX財とY財をともに2単位ずつ消費するほうが効用は高くなる。

解説

スピテキLink▶　2章1節3項、2章2・3節

POINT たとえば、効用関数 u（x、y）が、$u=ax+by$（a、bは正の定数）で表されるような場合に、無差別曲線は直線となる。また、このとき無差別曲線の傾きと予算制約線の傾きが一致しない限り、予算制約線のx軸切片もしくはy軸切片が効用を最大化する消費量となる。

ア　×：なだらかな形状の無差別曲線をもつ場合、効用を最大化する消費量の組み合わせの点では限界代替率と価格比が等しくなっている。

イ　×：選好が単調性を満たすならば、効用を最大化するような消費は必ず予算制約線上の点、つまり所得を全額消費に回す点で与えられる。したがって予算制約線上にない点のみが効用を最大化することはないので誤りである。

ウ　○：正しい。片方の財の価格がゼロの場合、消費者はその財を無限に購入し、無限に効用を増加させることが可能である。この場合にはこの財のみを消費すればよいので、予算制約式も意味をなさなくなっていることに注意すること。

エ　×：多くのテキストで使用される無差別曲線は原点に対して凸の曲線であるが、直線の形をとる無差別曲線も実際には存在する。消費者が直線の（線型の）無差別曲線をもつ場合には、片方の財のみを消費すること、つまり本問ではX財のみを4単位消費する方法が効用を最大化することもあり得る（問題のグラフを参照）。

正解 ▶ ウ

問題 25　価格変化の影響

1 ／ 2 ／ 3 ／

代替財や補完財に関する記述のうち、最も適切なものはどれか。

ア　X財の価格の上昇に対して、Y財の需要が増加する場合、Y財はX財の補完財である。

イ　Y財の価格の上昇に対して、X財の需要が減少する場合、X財はY財の代替財である。

ウ　X財の価格の低下に対して、Y財の需要が増加する場合、Y財はX財の補完財である。

エ　代替財のない必需品である場合、需要の価格弾力性は大きくなる。

解説

スピテキLink▶　2章6節2項

POINT

代替財：一方の財の価格が上昇すると、もう一方の財の需要量は増加する。

補完財：一方の財の価格が上昇すると、もう一方の財の需要量は減少する。

ア　×：補完財は、両財が補完の関係にあり、同時に消費するような財のことをいう（例：ゲーム機本体とゲームソフト）。仮にX財とY財が補完財の関係にある場合、X財の価格の上昇に対して、X財だけでなく補完関係にあるY財の需要も減少することとなる。

イ　×：代替財は、両財が代替的な関係にある財のことをいう（例：バターとマーガリン）。仮にX財とY財が代替財の関係にあるとすると、Y財の価格が上昇してY財の需要量が減少し、代わりとなるX財への需要量が増加する。

ウ　○：正しい。X財とY財が補完財の関係にある場合、X財の価格が低下すると、X財と同時にY財への需要も増加する。

エ　×：必需品かつ代替財がない財の場合、価格が上昇しても消費せざるを得ないため、需要の価格弾力性は小さくなる。

正解 ▶ ウ

問題26　需要関数

1 ／　2 ／　3 ／

財の性質に関する説明として、最も適切なものはどれか。

ア　需要の所得弾力性が1である財を中立財という。

イ　需要の価格弾力性が0未満の財を下級財という。

ウ　ある財に代替的な財が存在する場合、代替的な財が存在しないときと比較して、需要曲線の傾きは緩やかになりやすい。

エ　ギッフェン財は、所得効果よりも代替効果による消費量の変化が大きい財をいう。

解説

スピテキLink▶ 2章5～7節

「需要の価格弾力性」と「需要の所得弾力性」を区別すること。

$$需要の価格弾力性(\varepsilon) = -\frac{需要量の変化率}{価格の変化率}$$

$$需要の所得弾力性(\eta) = \frac{需要量の変化率}{所得の変化率}$$

ア ×：中立財は、需要の所得弾力性が０の財である。

イ ×：需要の所得弾力性が０未満の財を下級財という。

ウ ○：正しい。例として、ある財をバター、代替的な財をマーガリンとする。一般的にバターの価格が上昇すると、需要はマーガリンにシフトし、バターの需要は大きく減少することが多い（下図②）。またバターの価格が下落すると（下図③）、マーガリンの需要を取り込むこととなり、バターの需要は大きく増加することが見込まれる（下図④）。以上により、バターの需要曲線は、マーガリンが存在しないときと比較して緩やかになりやすい、ということができる。

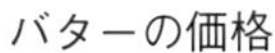

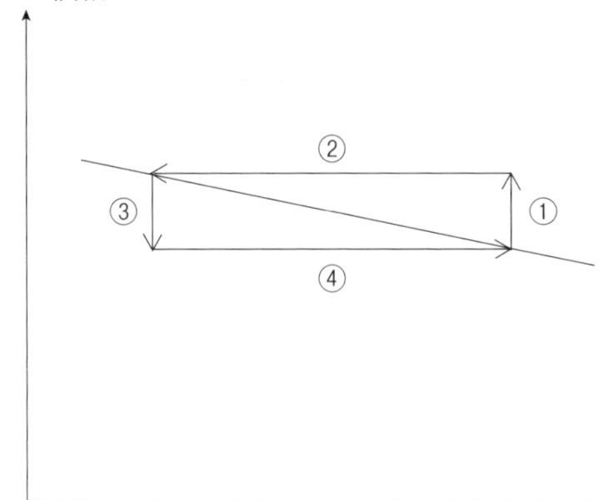

エ ×：ギッフェン財は、代替効果よりも所得効果による消費量の変化が大きい財をいう。

正解 ▶ ウ

問題27 需要の所得弾力性

1 ／ 2 ／ 3 ／

所得の変動が消費者の財の需要に与える影響について述べた以下の文章のうち、最も適切なものの組み合わせを下記の解答群から選べ。

a 所得の増加に対して需要量が減少する財は奢侈品とよばれる。

b 所得の増加率よりも需要量の増加率が低いような財には上級財に含まれるものが存在する。

c ある財は、所得1単位の増加に対して需要量がつねに4単位増加する。この財は必ず奢侈品である。

d ある財は、所得の1％の増加に対して需要量がつねに4％増加する。この財は必ず奢侈品である。

〔解答群〕

ア aとc　**イ** aとd　**ウ** bとc　**エ** bとd

解説

スピテキLink▶　2章5節1・2項

POINT 需要の所得弾力性とは、価格を一定として所得が「1％」増加した場合に需要が「何％」増加（減少）するかを表す概念である。この値に応じて必需品・奢侈品といった判別が行われる。一方、ある財が上級財や下級財であるかという判断は価格を一定として所得が追加的に「1単位」増加した場合に需要が増加（減少）するかどうかによって判別される。

a ×：所得の増加に対して需要量が減少する財は下級財とよばれる。

b ○：正しい。必需品とは所得の増加に対して需要量も増加するが、所得の増加率に対する需要量の増加率が低いような財のことである。必需品は上級財に含まれるため、本肢は正しい。

c ×：当初所得が2であり、ある財の需要量が10であったとする。このとき、所得の1の増加に対して4だけこの財の需要量が増加したとすると、所得が50％増加しこの財の需要量が40％増加したことになる。したがって需要の所得弾力性は0.4／0.5＝0.8となり1より小さくなる。したがって本問の条件を満たすような財が必ず奢侈品であるとはいえない。

d ○：正しい。この場合、需要の所得弾力性はつねに4となる。したがって需要の所得弾力性は1よりも大きいためこの財は奢侈品である。

正解 ▶ エ

問題28 所得消費曲線

1 ／ 2 ／ 3 ／

下図は、ある消費者が所得のすべてを使い切り、X財とY財を消費する状況における予算線および所得消費曲線を表す。この図の *A* 点と *B* 点に関する説明として、最も適切なものを下記の解答群から選べ。

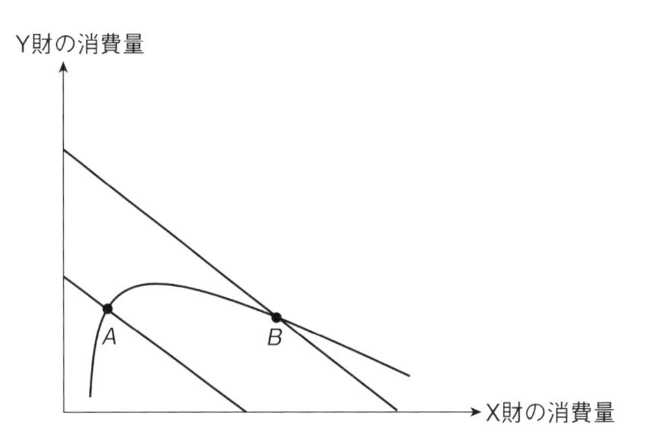

〔解答群〕

ア *A* 点では、X財は上級財、Y財は下級財である。

イ *A* 点では、X財は下級財、Y財は上級財である。

ウ *B* 点では、X財は上級財、Y財は下級財である。

エ *B* 点では、X財は下級財、Y財は上級財である。

解説

スピテキLink▶ 2章5節3項

POINT 所得消費曲線＝価格を一定に保った状態で、所得のみ変化させた場合に最適消費点がたどる曲線

所得の増加で消費量が増える財→上級財

所得の増加で消費量が変わらない財→中立財

所得の増加で消費量が減る財→下級財

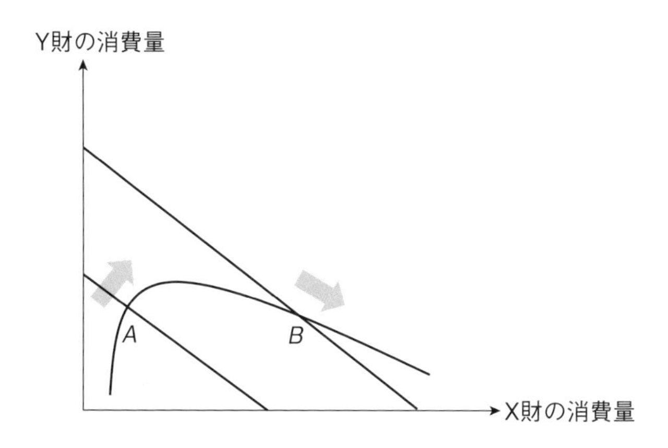

右上の予算線のほうが、予算集合が拡大しており、所得が増加していることがわかる。

A 点では、所得の増加とともに、X財、Y財ともに消費量が増加している。したがって、*A*点では、X財、Y財ともに上級財である。

B 点では、所得の増加とともに、X財の消費量は増加し、Y財の消費量は減少している。したがって、*B* 点では、X財は上級財、Y財は下級財である。

正解 ▶ ウ

問題29 エンゲル曲線

1 ／ 2 ／ 3 ／

所得と需要量との間の関係を表す曲線をエンゲル曲線という。次のエンゲル曲線の中で、上級財を表すものとして、最も適切なものはどれか。

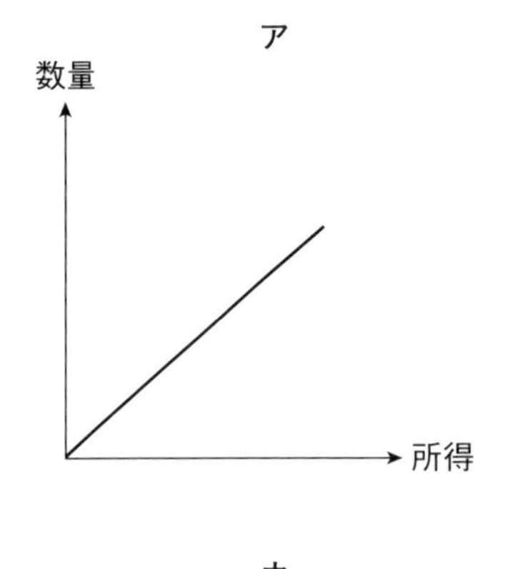

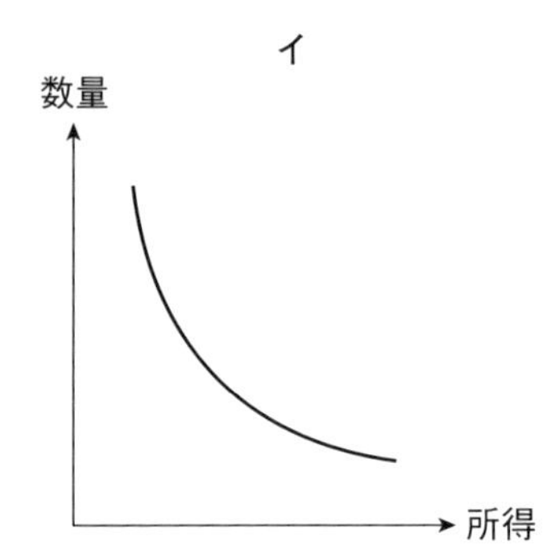

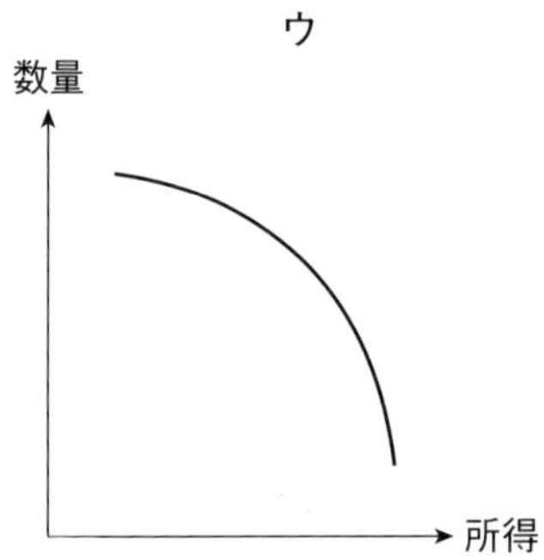

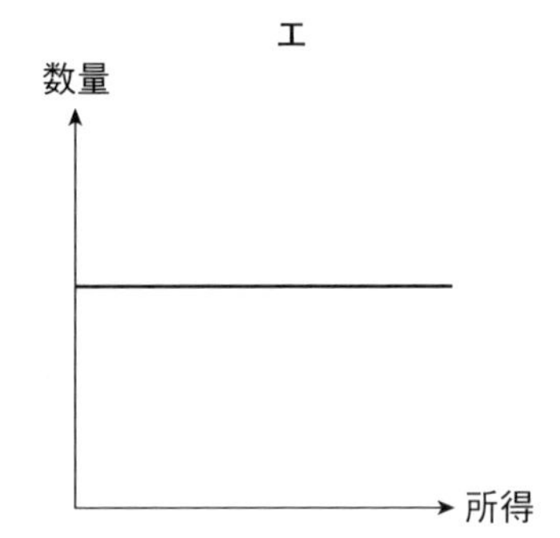

解説

スピテキLink▶　２章５節２項

エンゲル曲線＝所得と需要量の関係を表す曲線
エンゲル曲線が右上がり→上級財
エンゲル曲線が横軸に平行→中立財
エンゲル曲線が右下がり→下級財

上級財は所得が増加することで、需要量も増加する財であるため、エンゲル曲線は右上がりとなる（アのグラフ）。また、中立財は所得の増加で需要量が変わらない財であるため、エンゲル曲線は横軸に平行な直線となる（エのグラフ）。下級財は所得の増加で需要量が減る財であるため、エンゲル曲線は右下がりとなる（イ、ウのグラフ）。

正解 ▶ ア

問題30　需要の価格弾力性

縦軸に価格、横軸に需要量とするグラフ上に、右下がりの需要曲線を描いたとする。需要の価格弾力性について、最も適切なものの組み合わせを下記の解答群から選べ。

a　傾きが緩やかな需要曲線ほど、需要の価格弾力性は大きくなる。

b　傾きが緩やかな需要曲線ほど、需要の価格弾力性は小さくなる。

c　需要の価格弾力性は、$-\dfrac{\text{需要量の変化率}}{\text{価格の変化率}}$ で表される。

d　需要の価格弾力性は、$-\dfrac{\text{価格の変化率}}{\text{需要量の変化率}}$ で表される。

〔解答群〕

ア　aとc　　**イ**　aとd　　**ウ**　bとc　　**エ**　bとd

解説

スピテキLink▶ 2章6節1項

$$需要の価格弾力性=-\frac{需要量の変化率}{価格の変化率}$$

傾きが緩やかな需要曲線ほど、需要の価格弾力性は大きくなる。

次のグラフは、需要の価格弾力性の異なる2つの需要曲線を描いたものである。需要の価格弾力性は、価格が1%変化したときに需要量が何%変化するかを表す。価格がPからP'へ低下した場合、需要曲線D_Aに比べ、需要曲線D_Bは大きく需要量が伸びている（D_A：$D_0 \rightarrow D_1$、D_B：$D_0 \rightarrow D_2$）。したがって、価格の変化率に対してより需要量の変化率が高い需要曲線D_Bのほうが需要の価格弾力性が大きいといえる。以上より、傾きが緩やかな需要曲線ほど、需要の価格弾力性は大きくなる。

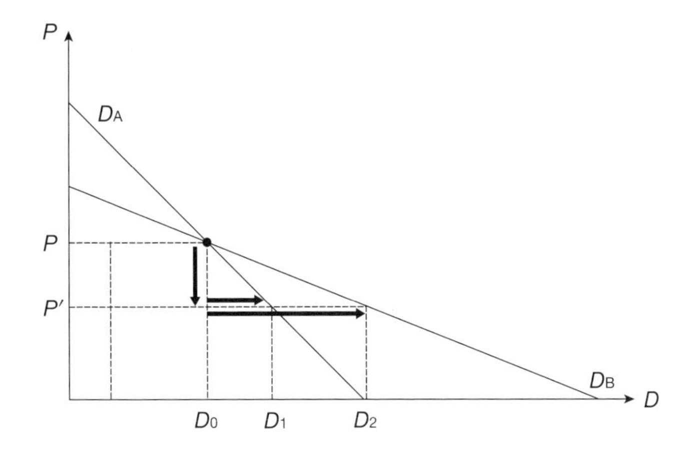

正解 ▶ ア

問題 31 需要の価格弾力性

| 1 / | 2 / | 3 / |

下図のように、右下がりの需要曲線*D*が描かれている。この曲線上に価格が高い順に3点*A*、*B*、*C*をとる。この図に関する記述として最も適切なものを下記の解答群から選べ。

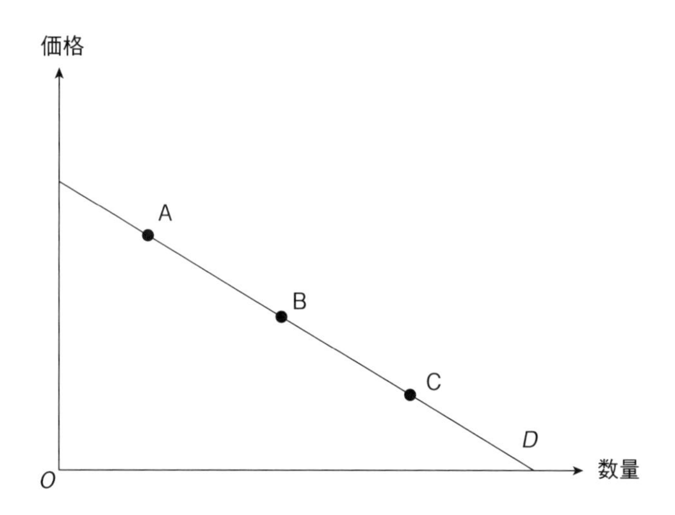

〔解答群〕

ア 図の3点*A*、*B*、*C*において、需要の価格弾力性は点*A*が最も大きい。

イ 図の3点*A*、*B*、*C*において、需要の価格弾力性は点*B*が最も大きい。

ウ 図の3点*A*、*B*、*C*において、需要の価格弾力性は点*C*が最も大きい。

エ 図の3点*A*、*B*、*C*において、需要の価格弾力性はすべて等しい。

解説

スピテキLink ▶　2章6節1項

同一需要曲線上における複数の点を比較すると、より左上に位置する点のほうが需要の価格弾力性が大きくなる。

同一需要曲線上における複数の点を比較すると、より左上に位置する点のほうが需要の価格弾力性が大きくなる。これは左上にある点Aのほうが、１％に相当する金額が大きいため、需要量の変化率が大きくなるからである。よって、本問では、*A*、*B*、*C*の順に価格弾力性が大きくなる。

正解 ▶ ア

問題32 スルツキー分解

1 ／ 2 ／ 3 ／

所得のすべてをX財、Y財に支出する合理的な消費者を考える。ここで、X財が下級財、Y財が上級財であるものとする。いま、X財の価格および所得が不変のもとで、Y財の価格が下落したときを考える。2財の需要量の変化を表す記述として、最も適切なものはどれか。

ア X財の需要量は代替効果によっても所得効果によっても減少するため、価格効果はX財の需要量を減少させる。

イ X財は代替効果による需要量の減少が所得効果による需要量の増加を上回るため、価格効果はX財の需要量を減少させる。

ウ Y財は代替効果による需要量の増加が所得効果による需要量の減少を上回るため、価格効果はY財の需要量を増加させる。

エ Y財は代替効果による需要量の増加が所得効果による需要量の減少を下回るため、価格効果はY財の需要量を減少させる。

解説

スピテキLink▶ 2章7節

POINT

代替効果→割高になった財の消費量は減少し、割安になった財の消費量は増加する。

所得効果→実質所得が増加した場合、上級財は消費量が増加し、中立財は消費量の増減がなく、下級財は消費量が減少する。

問題文より、下記の内容が読み取れる。

① 実質所得の増加（X財の価格および所得が不変のもとで、Y財の価格が下落したため）

② 代替効果、所得効果

●代替効果（Y財の価格下落）

Y財は割安になるため、Y財の需要量は増加する。一方、X財は割高になるため、X財の需要量は減少する。

●所得効果（X財：下級財、Y財：上級財）

X財は下級財であるため、需要量は減少し、Y財は上級財であるため、需要量は増加する。

●価格効果（代替効果＋所得効果）

X財：代替効果、所得効果ともに需要量が減少するため、価格効果では需要量は減少する。

Y財：代替効果、所得効果ともに需要量が増加するため、価格効果では需要量は増加する。

正解 ▶ ア

問題 33	スルツキー分解	1 ／	2 ／	3 ／

下図はX財とY財の2つの財の購入にあてている個人の予算制約線（AB、AC）と無差別曲線（U_1、U_2）を表したものである。

当初の最適消費点はRであったが、X財の価格が変化し、最適消費点がTに変化した。DEとACは平行であり、名目所得は変化しないものとする。X財およびY財に該当する財の組み合わせとして、最も適切なものを下記の解答群から選べ。

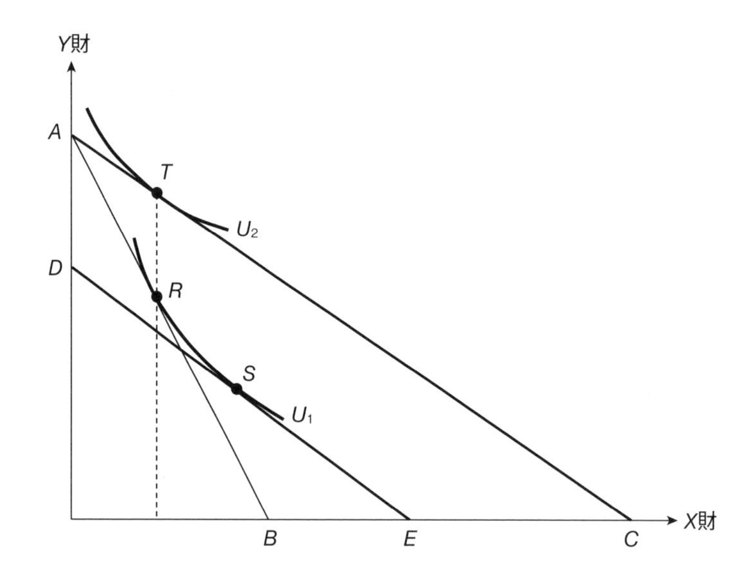

〔解答群〕

ア　X財：下級財　　Y財：上級財

イ　X財：下級財　　Y財：下級財

ウ　X財：中立財　　Y財：上級財

エ　X財：中立財　　Y財：下級財

オ　X財：上級財　　Y財：下級財

解説

スピテキLink▶　2章7節

財の分類は所得効果のみで判断することに注意する。

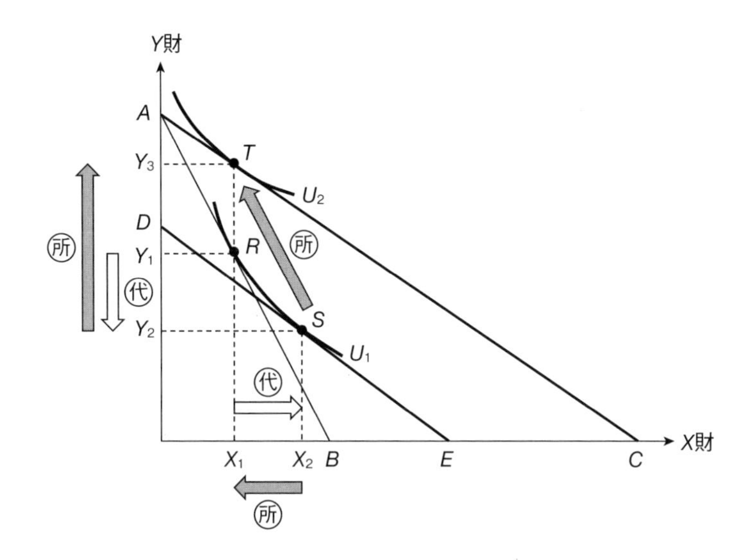

① X財の価格の下落（予算制約線がABからACに変化している。）

② 実質所得の増加

③ 価格効果、代替効果、所得効果

●価格効果：点R→点Tへの変化

（X財：X_1で不変、Y財：Y_1→Y_3へ増加）

●代替効果：点R→点Sへの変化

（X財：割安となりX_1→X_2へ増加、Y財：割高となりY_1→Y_2へ減少）

●所得効果：点S→点Tへの変化

（X財：X_2→X_1へ減少、Y財：Y_2→Y_3へ増加）

④ 財の分類（所得効果STで判断）

X財：下級財

★実質所得が増加した状況下で、所得効果により消費量が減少している。

Y財：上級財

★実質所得が増加した状況下で、所得効果により消費量が増加している。

正解 ▶ ア

問題34 スルツキー分解

1 ／ 2 ／ 3 ／

下図には、単調性が成り立つX財とY財を消費する個人が予算制約線Aに直面している状態が描かれている。他の条件を一定として、X財の価格の低下によって予算制約線Bへと変化すると、最適消費点も変化した。なお、破線で描かれた補助線は、予算制約線Bと平行である。

この図に関する記述として、最も適切なものを下記の解答群から選べ。

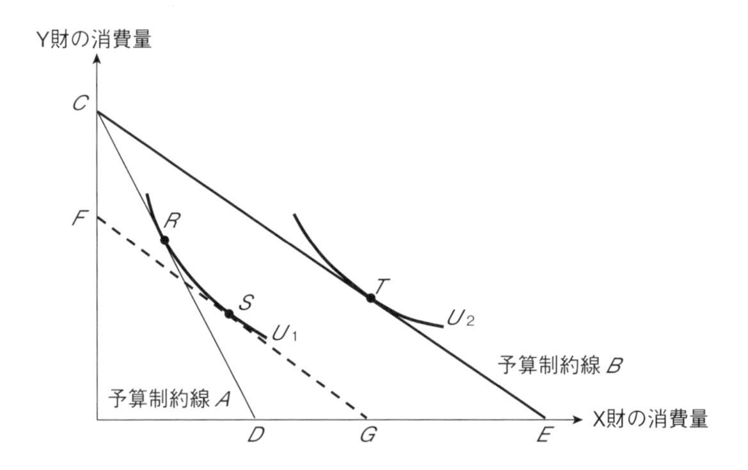

〔解答群〕

ア X財とY財の最適消費点は点Rから点Sへ移動する。X財は代替効果による増加分が所得効果による減少分を上回った結果、消費量は増加する。

イ X財とY財の最適消費点は点Rから点Tへ移動する。X財は代替効果による増加分が所得効果による減少分を上回った結果、消費量は増加する。

ウ X財とY財の最適消費点は点Rから点Sへ移動する。Y財は代替効果による減少分が所得効果による増加分を上回った結果、消費量は減少する。

エ X財とY財の最適消費点は点Rから点Tへ移動する。Y財は代替効果による減少分が所得効果による増加分を上回った結果、消費量は減少する。

解説

スピテキLink▶　2章7節1項

POINT
価格効果：（一方の財の）価格の変化が（両財の）消費量に与える効果
代替効果：異なる財の間の相対的な価格水準の変化によりもたらされる効果
所得効果：実質所得の変化を通じて生じる効果

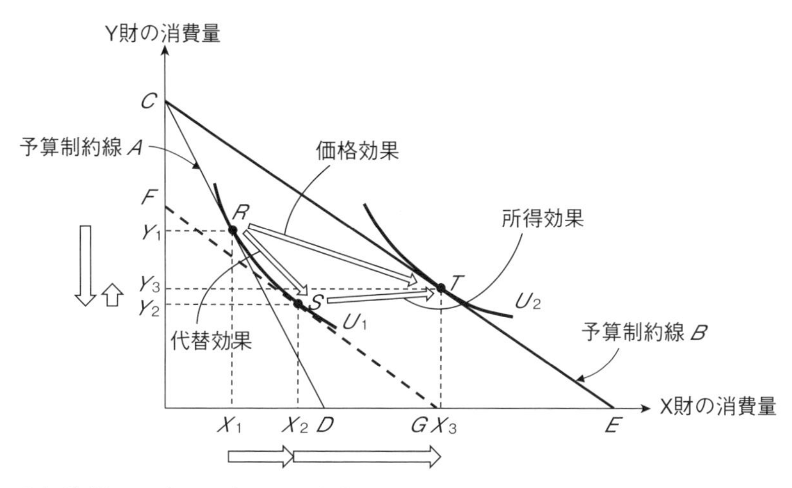

●価格効果：点R→点Tへの変化
（X財：X_1→X_3へ増加、Y財：Y_1→Y_3へ減少）

●代替効果：点R→点Sへの変化
（X財：割安となりX_1→X_2へ増加、Y財：割高となりY_1→Y_2へ減少）

●所得効果：点S→点Tへの変化
（X財：X_2→X_3へ増加、Y財：Y_2→Y_3へ増加）

ア　×：X財とY財の最適消費点は点Rから点Tへ移動する。代替効果、所得効果ともにX財の消費量を増加させる方向に働いている。

イ　×：最適消費点が点Rから点Tへ移動するのは正しい。しかし、代替効果、所得効果ともにX財の消費量を増加させる方向に働いている。

ウ　×：X財とY財の最適消費点は点Rから点Tへ移動する。Y財は代替効果による減少分が所得効果による増加分を上回った結果、消費量は減少するのは正しい。

エ　○：正しい。

正解　▶ エ

問題 35　スルツキー分解

1 ／　2 ／　3 ／

消費と余暇に関する、ある労働者の当初の予算制約式が次のように与えられているとする。

$C=w(24-L)$　　（ただし、$L≧14$とする。）

ここで、Cは消費、wは時間あたりの賃金、Lは余暇時間とする。労働者は、余暇時間以外働くものとする。下図のように、合理的な個人は消費と余暇に関する無差別曲線と予算制約式により、最適な労働時間と消費水準を決定する。この合理的な個人は当初、最適点Aで消費と余暇を決定していたが、賃金率がwからw'へ上昇し、新たな最適点はBとなった。図のEE'は新たな予算制約式と平行な直線であり、無差別曲線U_1と点Dで接する。これに関する記述として最も不適切なものを下記の解答群から選べ。

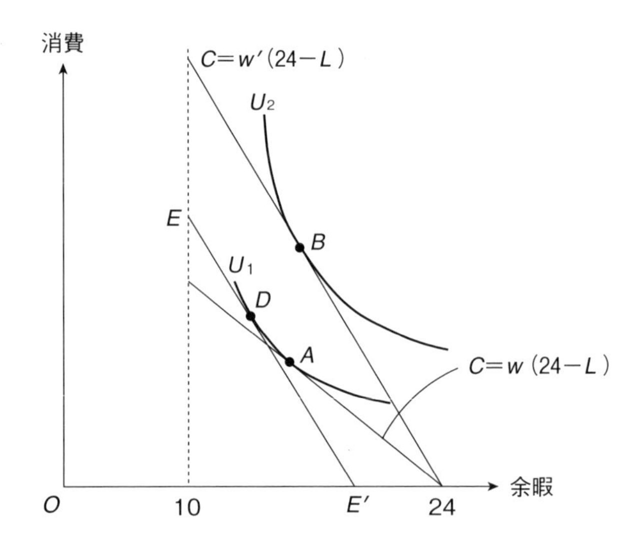

〔解答群〕

ア　賃金率の上昇に伴い、実質所得は増加したといえる。

イ　余暇も消費も上級財である。

ウ　賃金率の上昇に伴って生じる所得効果は、労働時間を増加させる。

エ　賃金率の上昇に伴って生じる代替効果は、労働時間を増加させる。

解説

スピテキLink▶　2章7節1項

POINT 財による所得効果

所得の変化	需要量
所得の増加	上級財　↑ 中立財　→ 下級財　↓
所得の減少	上級財　↓ 中立財　→ 下級財　↑

① 実質所得の増加

賃金率がwからw'へ上昇することによって、消費可能数量が増加する（予算集合の大きさが大きくなっている）。

② 価格効果、代替効果、所得効果

●価格効果：点A→点Bへの変化

●代替効果：点A→点Dへの変化

●所得効果：点D→点Bへの変化

③ 財の分類

余暇：上級財、消費：上級財

※実質所得が増加した状況下で、余暇も消費も所得効果により消費量が増加する。

ア ○：正しい。賃金率がwからw'へ上昇することによって、消費可能数量が増加する（予算集合の大きさが大きくなっている）。

イ ○：正しい。実質所得が増加した状況下で、余暇も消費も所得効果により消費量が増加する。

ウ ×：所得効果は余暇時間を増加させる。余暇と労働時間はトレードオフな関係であるので、労働時間を減少させる。

エ ○：正しい。代替効果は、割高になった余暇時間を減少させる。つまり、労働時間を増加させる。

正解 ▶ ウ

問題36　スルツキー分解

1 ／　2 ／　3 ／

ある個人が限られた所得を有しており、X財とY財を購入することができる。下図は、予算制約線Aと無差別曲線U_1が点Cで接する状況から、予算制約線Bと無差別曲線U_2が点Dで接する状況へと変化した様子を描いたものである。予算制約線Bと並行で無差別曲線U_1と接する補助線を引き、その接点をEとする。なお、所得の変化は生じていない。この図に関する記述として、最も適切なものを下記の解答群から選べ。

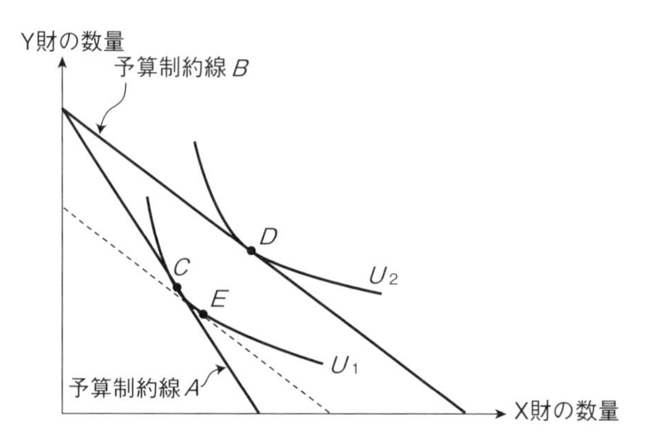

〔解答群〕

ア　点Cから点Dへの変化は、所得効果とよばれている。

イ　点Cから点Eへの変化は、所得効果とよばれている。

ウ　予算制約線Aから予算制約線Bへの変化は、Y財の価格の下落を表している。

エ　X財、Y財ともに上級財である。

オ　Y財に生じた所得効果の絶対値は、Y財に生じた代替効果の絶対値よりも小さい。

解説

スピテキLink▶　２章７節１項

POINT 予算制約線の変化から、Ｘ財およびＹ財の価格、実質所得の変化を読み取ることが求められる。

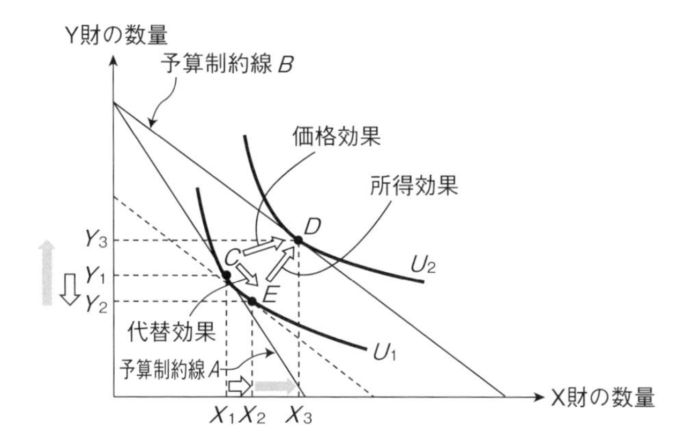

ア　×：点Cから点Dへの変化は、価格効果とよばれている。

イ　×：点Cから点Eへの変化は、代替効果とよばれている。

ウ　×：予算制約線Aから予算制約線Bへの変化は、Y財ではなく、X財の価格の下落を表している。

エ　○：正しい。実質所得が増加した状況下で、X財、Y財ともに所得効果により消費量が増加している。

オ　×：Y財に生じた所得効果の絶対値（Y_2Y_3）は、Y財に生じた代替効果の絶対値（Y_1Y_2）よりも大きい。

正解 ▶ エ

問題37 期待効用仮説

1 ／ 2 ／ 3 ／

下図は、ある個人の効用と所得の関係を表したものである。この図に関する記述として、最も適切なものの組み合わせを下記の解答群から選べ。

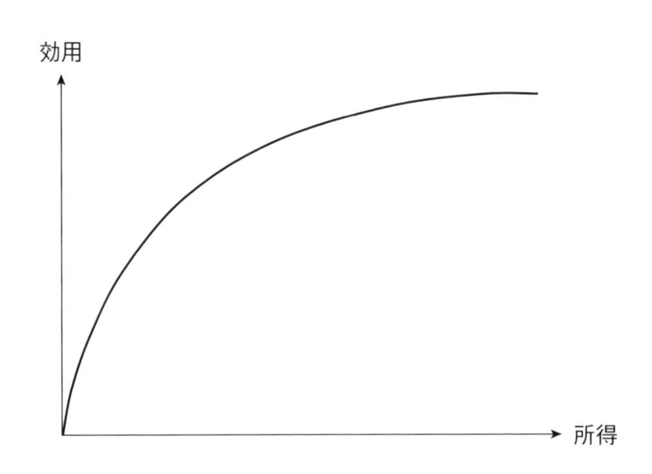

a この個人は危険愛好的である。
b この個人は危険回避的である。
c リスク・プレミアムは正の値をとる。
d リスク・プレミアムは負の値をとる。

〔解答群〕

ア aとc　**イ** aとd　**ウ** bとc　**エ** bとd

解説

スピテキLink▶ 2章8節

POINT 危険回避的な人は、限界効用（この場合は所得が１単位増えた場合の効用の上昇分）が高所得になるにつれて小さくなる。逆に危険愛好的な人は、限界効用が高所得になるにつれて大きくなる。効用と所得の関係を表すと以下のようになる。

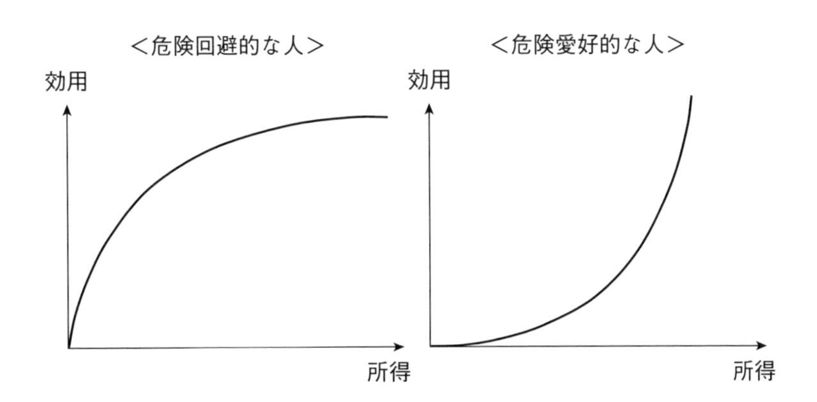

リスク・プレミアム＝不確実性を伴う投資の資産額の期待値と確実性等価との差→危険回避的な人は正の値をとる。

a ×：この個人は危険回避的である。
b ○：正しい。
c ○：正しい。
d ×：リスク・プレミアムは正の値をとる。

正解 ▶ ウ

問題38　期待効用仮説

1 ／　2 ／　3 ／

リスク・プレミアムに関する記述の空欄A～Cに入る用語として、最も適切な組み合わせを下記の解答群から選べ。

不確実性に直面した場合と同等の期待効用を与えるような、確実な所得額を［A］という。

また、危険回避的な消費者が不確実性に直面した場合のリスク・プレミアムは、リスク・プレミアム＝［B］－［C］となる。

〔解答群〕

ア　A：確実性等価　　B：不確実性に直面した場合の所得の期待値
　　C：確実性等価

イ　A：期待値　　B：確実性等価
　　C：不確実性に直面した場合の所得の期待値

ウ　A：期待値　　B：不確実性に直面した場合の所得の期待値
　　C：確実性等価

エ　A：確実性等価　　B：確実性等価
　　C：不確実性に直面した場合の所得の期待値

解説

スピテキLink▶　2章8節2項

経済学では危険回避的な人間を前提にしているため、リスクプレミアムの値は通常正になる。

消費者が不確実性に直面したときと同等の期待効用を与えるような確実な所得の額のことを、「確実性等価」という。

リスク・プレミアムは、確実性等価と不確実性に直面した場合の所得の期待値との差をいう。

つまり、リスク・プレミアム＝不確実性に直面した場合の所得の期待値－確実性等価となる。

よって、A「確実性等価」、B「不確実性に直面した場合の所得の期待値」、C「確実性等価」となる。

正解 ▶ ア

問題39 期待効用仮説

1 ／ 2 ／ 3 ／

消費者の効用関数が$U=\sqrt{y}$であるものとする。ただし、yは所得である。この消費者は、50%の確率で所得が100万円となり、50%の確率で64万円になる不確実な状況に直面している。この消費者のリスク・プレミアムとして最も適切なものはどれか。

ア　1万円
イ　9万円
ウ　81万円
エ　82万円

解説

スピテキLink▶　2章8節

POINT 以下の用語について押さえておきたい。

「確実性等価」、「リスク・プレミアム」

また、「(資産額の) 期待値」と「期待効用」とよばれる「(効用の) 期待値」を区別すること。

① 所得の期待値を求める。

所得の期待値＝1,000,000×0.5＋640,000×0.5

＝500,000＋320,000

＝820,000

② 期待効用（効用の期待値）

期待効用＝$\sqrt{1,000,000}$×0.5＋$\sqrt{640,000}$×0.5

＝1,000×0.5＋800×0.5

＝500＋400

＝900

③ 確実性等価を求める。

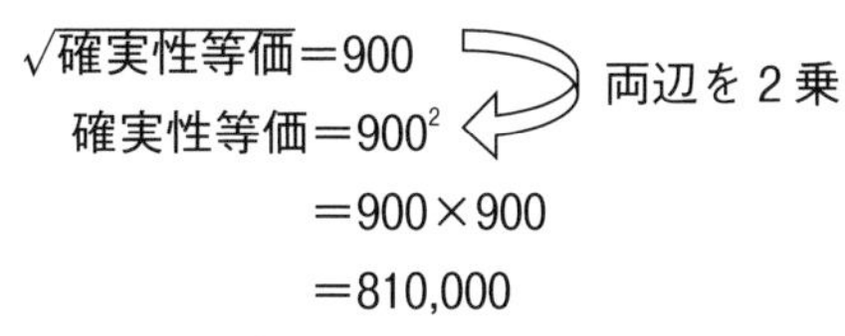

$\sqrt{確実性等価}$＝900

確実性等価＝900^2

＝900×900

＝810,000

④ リスク・プレミアムを求める。

リスク・プレミアム＝所得の期待値－確実性等価

＝820,000－810,000

＝10,000

＝１万円

正解 ▶ ア

問題40 需要曲線のシフト

1 ／ 2 ／ 3 ／

需要曲線のシフトについて考える。ここでは図は省略するが、縦軸に価格、横軸に数量をとるものとする。次のうち、X財の需要曲線を右方へシフトさせる組み合わせを下記の解答群から選べ。

a X財の価格が下落したとき

b 嗜好の変化により需要が増加したとき

c X財とY財が補完財の関係にある場合において、Y財の価格が低下したとき

d X財とY財が代替財の関係にある場合において、Y財の価格が低下したとき

〔解答群〕

ア aとc

イ aとd

ウ bとc

エ bとd

解説

スピテキLink▶ 3章1節2項

POINT

需要曲線のシフト→価格が一定で需要量が増加した場合
代替財、補完財
X財はY財の代替財⇒Y財の価格の上昇に対してX財の需要量が増加
X財はY財の補完財⇒Y財の価格の上昇に対してX財の需要量が減少

a ×：X財の価格が低下するときは、価格が一定で需要量が増加する場合ではない。よって、需要曲線の右方シフトとはならず、需要曲線上の点の移動となる。

b ○：正しい。嗜好の変化により需要が増加したときは、価格が一定で需要量が増加する場合に該当し、需要曲線は右方へシフトする。

c ○：正しい。Y財の価格が低下するとY財と補完財の関係があるX財の需要量は増加する。よって、価格が一定で需要量が増加する場合に該当し、需要曲線は右方へシフトする。

d ×：Y財の価格が低下するとY財と代替財の関係があるX財の需要量は減少する。よって、価格が一定で需要量が減少する場合に該当し、需要曲線は左方へシフトする。

正解 ▶ ウ

問題41 需要曲線・供給曲線のシフト

1 ／ 2 ／ 3 ／

下図には、ある財の需要曲線Dと供給曲線Sが描かれている。

この図に関する記述として、最も適切な組み合わせを下記の解答群から選べ。

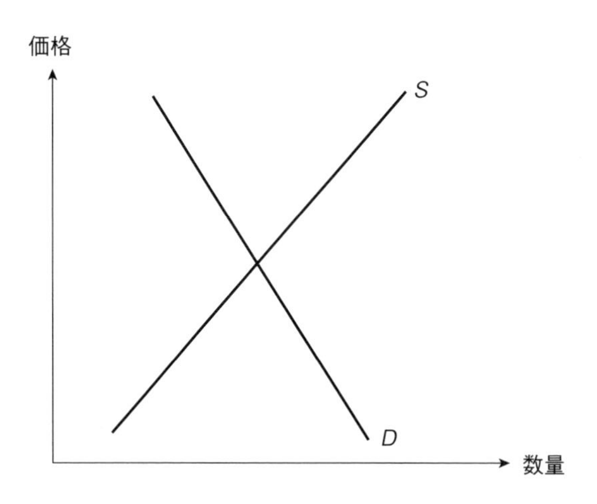

a この財と密接な補完財の価格が下落すると、需要曲線は右方へシフトする。

b この財と密接な代替財の価格が下落すると、需要曲線は右方へシフトする。

c 嗜好の変化によって需要曲線が右方にシフトすると、この財の売り手の収入は必ず増加する。

d 技術の進歩によって供給曲線が右方にシフトすると、この財の売り手の収入は必ず増加する。

〔解答群〕

ア aとc

イ aとd

ウ bとc

エ bとd

解説

スピテキLink▶ 3章1節2項

さまざまな外生的な要素の変化が、需要曲線、供給曲線にどのような影響を与え、その結果どのように変化するかを理解しておきたい。

代替財：他の財の価格の下落に対して財の需要量が減少する財
補完財：他の財の価格の下落に対して財の需要量が増加する財

a ○：正しい。この財と密接な補完財の価格が下落すると、この財の需要量は増加する。よって、需要曲線は右方へシフトする。

b ×：この財と密接な代替財の価格が下落すると、この財の需要量は減少する。よって、需要曲線は左方へシフトする。

c ○：正しい。需要曲線が右方へシフトすると均衡価格および均衡取引量は増加する。よって、売り手の収入である「均衡価格×均衡取引量」は必ず増加する。

d ×：技術の進歩によって供給曲線が右方へシフトすることは正しい。右方へシフトすると均衡価格は下落し、均衡取引量は増加する。よって、売り手の収入である「均衡価格×均衡取引量」は必ず増加するとはいえない。

正解 ▶ ア

問題42　市場の調整過程

1 ／　2 ／　3 ／

完全競争市場の調整過程に関して、次の文中の空欄A～Eに当てはまる語句の組み合わせとして、最も適切なものはどれか。

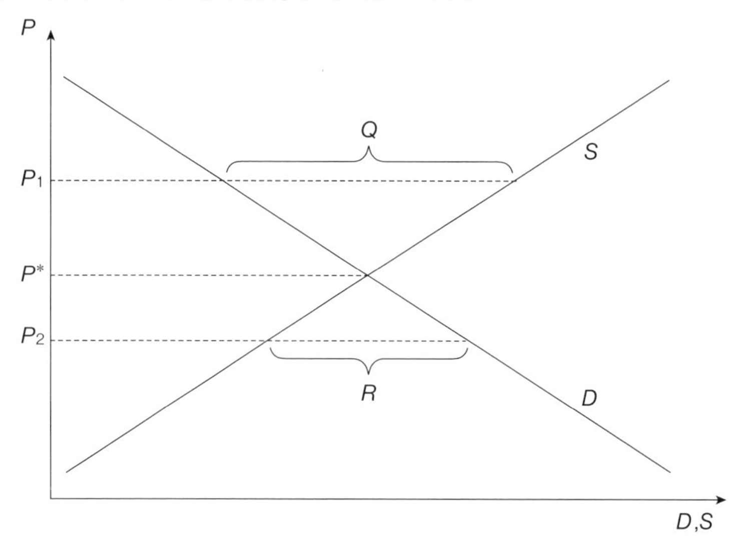

需要量と供給量のギャップに対応して、価格が変化することで調整される市場の調整過程を［A］調整過程という。この調整過程において、価格が図のP_1にあるとき［B］が［C］を上回っている。図のQにあたる部分は［D］とよばれ、このとき価格は低下する。一方、価格が図のP_2にあるとき［C］が［B］を上回っている。図のRにあたる部分は［E］とよばれ、このとき価格は上昇する。以上の調整過程を経て、価格はP^*で均衡する。

ア　A：ワルラス的　　B：需要量　　C：供給量
　　D：超過需要者価格　　E：超過供給者価格

イ　A：マーシャル的　　B：供給量　　C：需要量
　　D：超過供給者価格　　E：超過需要者価格

ウ　A：マーシャル的　　B：需要量　　C：供給量
　　D：超過需要　　E：超過供給

エ　A：ワルラス的　　B：供給量　　C：需要量
　　D：超過供給　　E：超過需要

解説

スピテキLink▶　3章2節1・2項

POINT

ワルラス的調整過程は、価格の変化による調整過程である。
供給量＞需要量⇒価格低下　　　需要量＞供給量⇒価格上昇
マーシャル的調整過程は、供給量の変化による調整過程である。
供給者価格＞需要者価格⇒供給量減少　　　需要者価格＞供給者価格⇒供給量増加

需要量と供給量のギャップに対応して、価格が変化することで調整される市場の調整過程を「ワルラス的」調整過程という（空欄A）。この調整過程において、価格が図のP_1にあるとき「供給量」が「需要量」を上回っている（空欄BおよびC）。図のQにあたる部分は「超過供給」とよばれ（空欄D）、このとき価格は低下する。一方、価格が図のP_2にあるとき「需要量」が「供給量」を上回っている。図のRにあたる部分は「超過需要」とよばれ（空欄E）、このとき価格は上昇する。以上の調整過程を経て、価格はP^*で均衡する。

正解 ▶ エ

問題43 市場の調整過程

1 ／ 2 ／ 3 ／

下図には、相対的に緩い傾斜の需要曲線と相対的に急な傾斜の供給曲線が描かれている。これら需要曲線と供給曲線の交点は点Eで与えられている。この図に関する記述として、最も適切なものの組み合わせを下記の解答群から選べ。

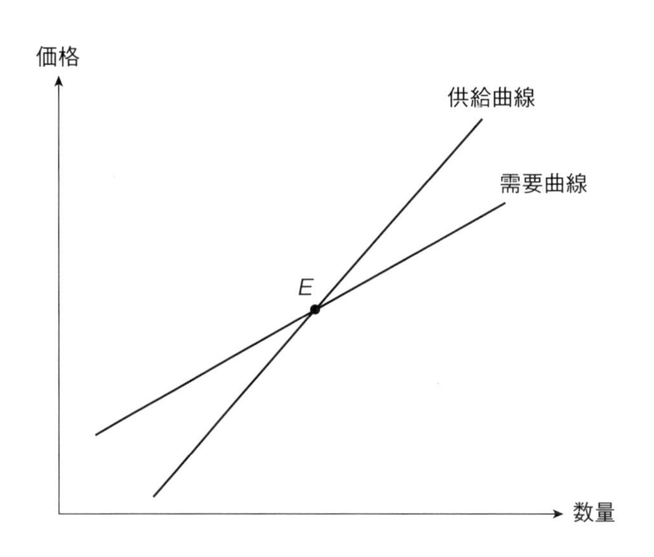

a ワルラス的調整を通じて点Eへ収束する力が働く。
b ワルラス的調整を通じて点Eへ収束する力は働かない。
c マーシャル的調整を通じて点Eへ収束する力が働く。
d マーシャル的調整を通じて点Eへ収束する力は働かない。

〔解答群〕

ア aとc　**イ** aとd　**ウ** bとc　**エ** bとd

解説

スピテキLink ▶ 3章2節

POINT ワルラス的調整過程は価格調整であり、安定か否かの判断は、ある一定の価格を基準に考えればよい。一方、マーシャル的調整過程は数量調整であり、安定か否かの判断は、ある一定の数量を基準に考えればよい。下図のように線を引くと、次のようなことがわかる。

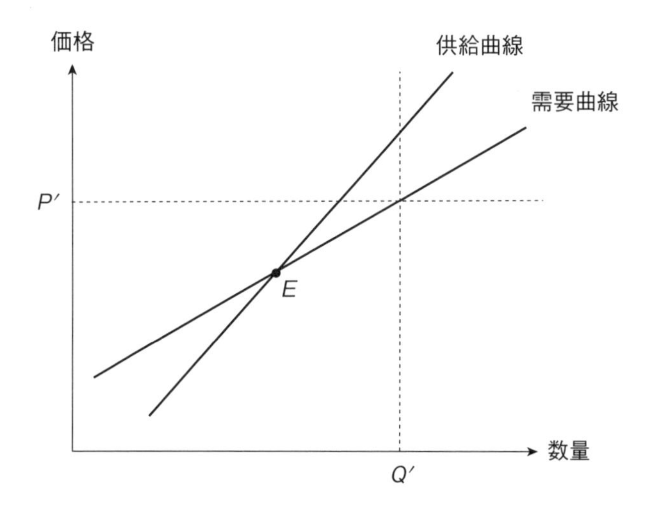

P′という価格のもとでは、需要量＞供給量となる。よって、価格は上昇する（均衡点から離れる）ため、ワルラス的調整過程では不安定（点Eへ収束する力が働かない）となる。

Q′という供給量のもとでは、供給者価格（売り手が売りたいと思っている価格）＞需要者価格（買い手が支払ってもよいと考える価格＝売れる価格）となる。よって、供給量は減少する（均衡点に向かう）ため、マーシャル的調整過程では安定（点Eへ収束する力が働く）となる。

正解 ▶ ウ

問題44　余剰分析と課税

1 ／　2 ／　3 ／

下図には、需要曲線Dと供給曲線Sが描かれている。この市場に政府が１単位あたりABの従量税を課したところ、供給曲線がS'となった。この図に関する記述の正誤の組み合わせとして、最も適切なものを下記の解答群から選べ。

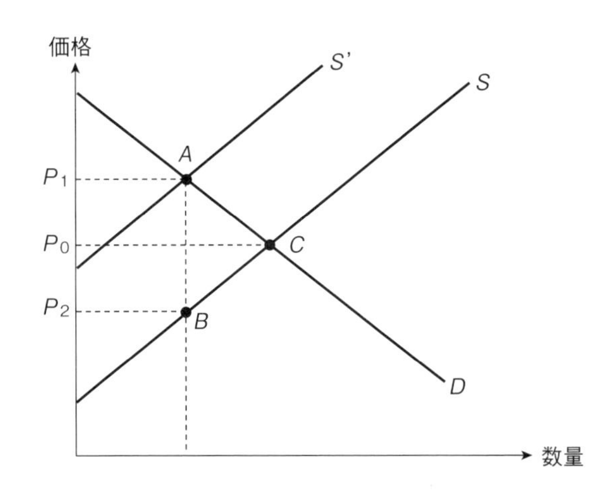

a　課税により、消費者余剰は四角形P_0P_2BCの分だけ減少する。

b　課税により、生産者余剰は四角形P_1P_2BAの分だけ減少する。

c　課税により、社会的総余剰は三角形ABCの分だけ減少する。

〔解答群〕

ア	a：正	b：正	c：正
イ	a：正	b：正	c：誤
ウ	a：誤	b：正	c：正
エ	a：誤	b：誤	c：正
オ	a：誤	b：誤	c：誤

解説

スピテキLink▶　3章3節4項

POINT　従量税の課税によって供給曲線がSからS'へ上昇する。
均衡価格はP_0からP_1へ上昇し、均衡取引量はQ_0からQ_1へ減少する。

《課税前》

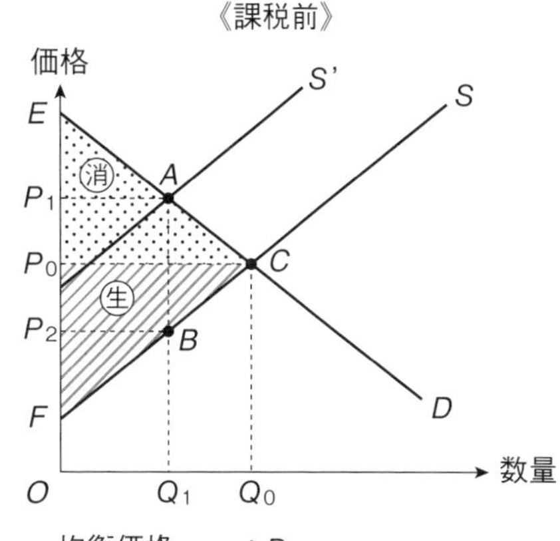

均衡価格　　　：P_0
均衡取引量　　：Q_0
消費者余剰　　：△EP_0C
（□EOQ_0C －□P_0OQ_0C）
生産者余剰　　：△P_0FC
（□P_0OQ_0C －□FOQ_0C）
政府余剰　　　：なし
社会的総余剰：△EFC
（△EP_0C ＋△P_0FC）

《課税後》

均衡価格　　　：P_1
均衡取引量　　：Q_1
消費者余剰　　：△EP_1A
（□EOQ_1A －□P_1OQ_1A）
生産者余剰　　：△P_2FB
（□P_1OQ_1A －□FOQ_1B－□P_1P_2BA）
政府余剰　　　：□P_1P_2BA
社会的総余剰：□$EFBA$
（△EP_1A ＋△P_2FB ＋□P_1P_2BA）
死荷重　　　　：△ABC
※課税による死荷重：△ABC
（△EFC－□$EFBA$）

a　×：課税により、消費者余剰は四角形P_1P_0CAの分だけ減少する。

b　×：課税により、生産者余剰は四角形P_0P_2BCの分だけ減少する。

c　○：正しい。課税により、三角形ABCで示される死荷重が発生する。

正解 ▶ エ

問題45 比較生産費説

1 ／ 2 ／ 3 ／

表は、A国とB国が、X製品またはY製品を1単位生産するのに必要な生産要素量を示している。ここで、簡略化のために、A国とB国の2国のみを想定し、それぞれの国は、X製品ならびにY製品のみを生産すると考える。さらに、生産要素として労働力のみを考え、両国間で労働力の移動はないものとする。下表に関する記述として最も適切な組み合わせを下記の解答群から選べ。

	X製品	Y製品
A 国	6	18
B 国	5	10

a A国はB国に対して、X製品およびY製品について絶対優位をもつ。
b B国はA国に対して、X製品およびY製品について絶対優位をもつ。
c A国はB国に対して、X製品について比較優位をもつ。
d A国はB国に対して、Y製品について比較優位をもつ。

〔解答群〕

ア aとc
イ aとd
ウ bとc
エ bとd

解説

スピテキLink▶　3章5節

完全競争のもとでは、各国は自らが比較優位をもつ財を輸出し、比較優位をもたない財を輸入する。

与えられている表の生産要素量の比率を下記のように直す。

	X製品	Y製品
A国	6	18
B国	5	10

	X製品	Y製品
A国	1	3
B国	1	2

まずは、絶対優位を検討する。X製品1単位あたりの生産にA国は6、B国は5の労働力を必要とする。これより、X製品に関してはB国が絶対優位をもつ。さらに、Y製品1単位当たりの生産にA国は18、B国は10の労働力を必要とする。よって、Y製品に関してもB国が絶対優位をもつ。

次に、比較優位を検討する。A国ではY製品の生産にX製品の生産の3倍の労働力を要し、B国ではY製品の生産にX製品の生産の2倍の労働力を要する。したがって、B国はY製品に比較優位があり、A国はもう一方の財であるX製品に比較優位がある。

a　×：B国はA国に対して、X製品およびY製品について絶対優位をもつ。

b　○：正しい。

c　○：正しい。

d　×：A国はB国に対して、X製品について比較優位をもつ。

正解 ▶ ウ

問題46 余剰分析

1 ／ 2 ／ 3 ／

下図によって、完全競争市場において、政府が市場に介入して、取引価格をPに規制した場合について考える。Dは需要曲線、Sは供給曲線である。この図に関する記述として、最も適切なものの組み合わせを下記の解答群から選べ。

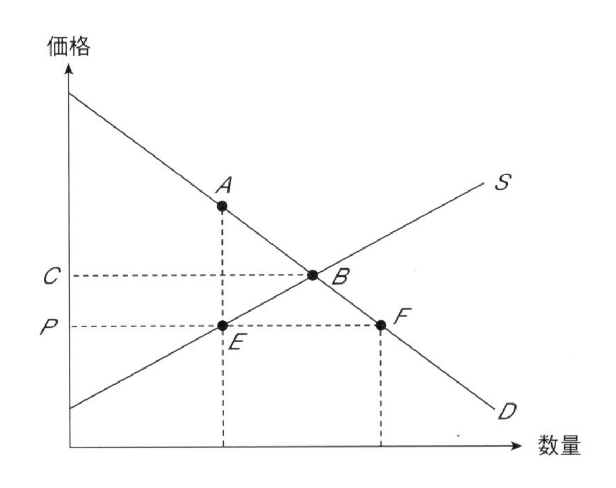

a　取引価格をPに規制した場合、規制前に比べて消費者余剰は、四角形$CPFB$の分だけ増加する。

b　取引価格をPに規制した場合、規制前に比べて生産者余剰は、四角形$CPEB$の分だけ減少する。

c　取引価格をPに規制した場合、政府余剰は発生しない。

d　取引価格をPに規制した場合、規制前に比べて社会的総余剰は三角形BEFの分だけ増加する。

〔解答群〕

ア　aとc

イ　aとd

ウ　bとc

エ　bとd

解説

スピテキLink▶　3章4節

POINT
社会的総余剰＝消費者余剰＋生産者余剰＋政府の余剰
消費者余剰＝消費者が支払うつもりのある総額－実際に支払った額
生産者余剰＝収入－可変費用

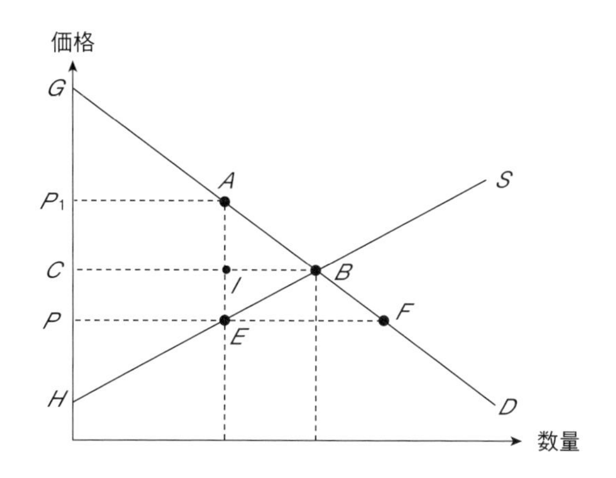

＜価格規制前＞		＜価格規制後＞	
消費者余剰	：△*GCB*	消費者余剰	：□*GPEA*
生産者余剰	：△*CHB*	生産者余剰	：△*PHE*
社会的総余剰	：△*GHB*	社会的総余剰	：□*GHEA*

※価格規制による死荷重：△*AEB*

a　×：取引価格を*P*に規制した場合、生産者は供給曲線との交点である*E*の水準で生産する。規制前に比べて消費者余剰は、（四角形*CPEI*－三角形*AIB*）の分だけ変化する（増加するか、減少するかは四角形*CPEI*と三角形*AIB*の大小関係次第である）。

b　○：正しい。

c　○：正しい。

d　×：取引価格を*P*に規制した場合、規制前に比べて社会的総余剰は、三角形*AEB*の分だけ減少する。

正解 ▶ ウ

問題47　余剰分析

1 ／ 2 ／ 3 ／

ある財の生産者の保護を目的とした補助金政策の効果を考える。下図において、Dはこの財の需要曲線、Sは補助金交付前のこの財の供給曲線、S'は補助金交付後のこの財の供給曲線である。政府は、この財1単位あたり定額の補助金を交付する。

この図に関する記述として、最も適切な組み合わせを下記の解答群から選べ。

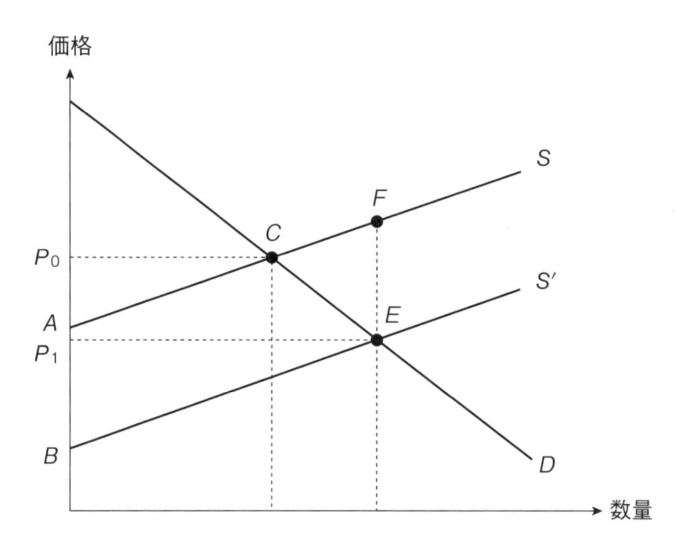

a　補助金の交付によって、総余剰は三角形CEFの分だけ増加する。

b　政府が交付した補助金額は四角形$ABEF$である。

c　補助金の交付によって、生産者余剰は四角形$ABEC$の分だけ増加する。

d　補助金の交付によって、消費者余剰は四角形P_0P_1ECの分だけ増加する。

〔解答群〕

ア　aとb

イ　aとc

ウ　bとc

エ　bとd

オ　cとd

解説

スピテキLink▶ 3章4節

POINT 補助金の支出はマイナスの政府余剰である。

《補助金交付前》

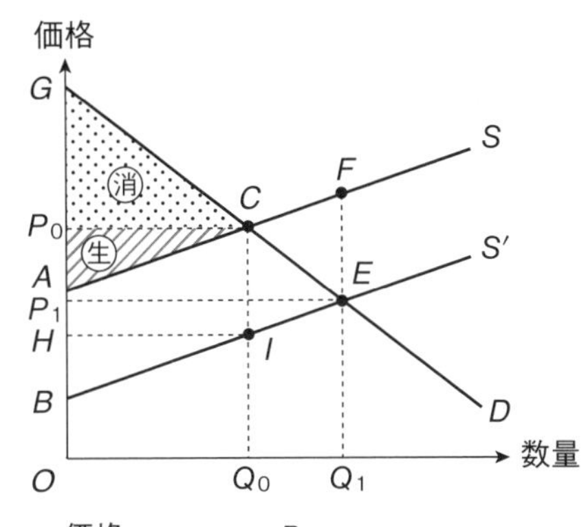

価格　：P_0
数量　：Q_0
消費者余剰　：△GP_0C
（四角形GOQ_0C －四角形P_0OQ_0C）
生産者余剰　：△P_0AC
（四角形P_0OQ_0C －四角形 AOQ_0C）
社会的総余剰：△GAC
（△GP_0C ＋△P_0AC）

《補助金交付後》

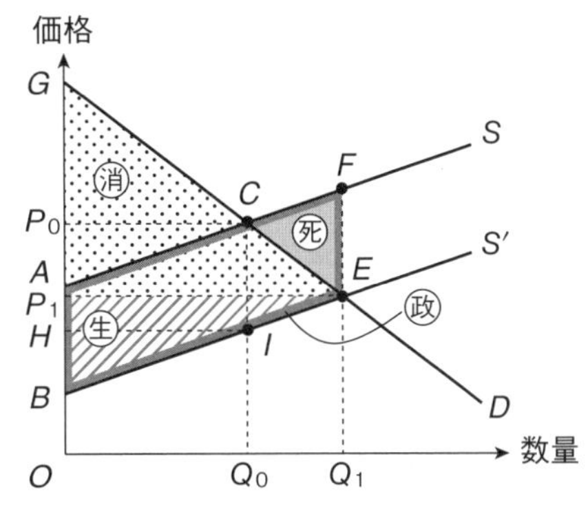

価格　：P_1
数量　：Q_1
消費者余剰　：△GP_1E
（四角形GOQ_1E－四角形P_1OQ_1E）
生産者余剰　：△P_1BE
（四角形P_1OQ_1E－四角形BOQ_1E）
政府余剰　：－□$ABEF$
（AB×OQ_1）
社会的総余剰：△GAC－△CEF
（△GP_1E＋△P_1BE－□$ABEF$）
死荷重　：△CEF
（△GAC－（△GAC－△CEF）

a　×：補助金の交付によって、総余剰は三角形CEFの分だけ減少する。

b　○：正しい。

c　×：生産者余剰は三角形P_0ACから三角形P_1BEへと増加する。三角形P_0ACと三角形HBIは合同な三角形であるから、生産者余剰は四角形P_1HIEの分だけ増加する。

d　○：正しい。

正解 ▶ エ

問題48 貿易政策の理論

1 ／ 2 ／ 3 ／

自由貿易協定によって、それまで輸入が禁止されていたある財が自由化されることになった。下図には、この財に関する国内市場の需要曲線Dと供給曲線Sが描かれており、輸入自由化によって、国内価格P_1から国際価格P_2へと下落したことを表している。この図に関する記述の正誤の組み合わせとして、最も適切なものを下記の解答群から選べ。

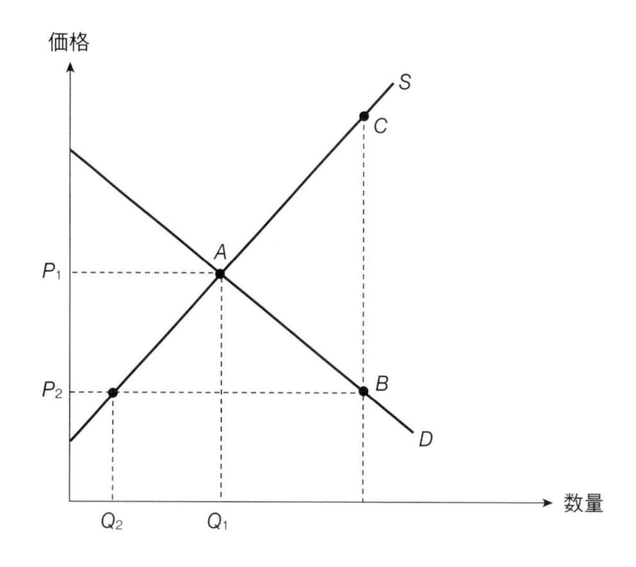

a 自由貿易協定により、この財をQ_1Q_2の分だけ輸入する。

b 自由貿易協定により、生産者余剰は四角形P_1P_2BAの分だけ増加する。

c 自由貿易協定により、社会的総余剰は三角形ABCの分だけ増加する。

〔解答群〕

ア a：正　b：正　c：正

イ a：正　b：正　c：誤

ウ a：誤　b：正　c：正

エ a：誤　b：誤　c：正

オ a：誤　b：誤　c：誤

解説

スピテキLink▶　3章6節

輸入数量は国内需要量と国内供給量の差である。

＜閉鎖経済の場合＞

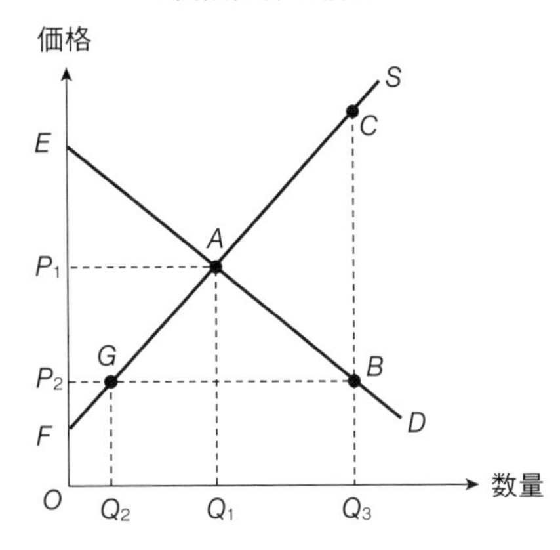

価格　　　　　：P_1
数量　　　　　：Q_1
消費者余剰　　：△EP_1A
（□EOQ_1A－□P_1OQ_1A）
生産者余剰　　：△P_1FA
（□P_1OQ_1A－□FOQ_1A）
社会的総余剰：△EFA
（△EP_1A＋△P_1FA）

＜自由貿易協定後＞

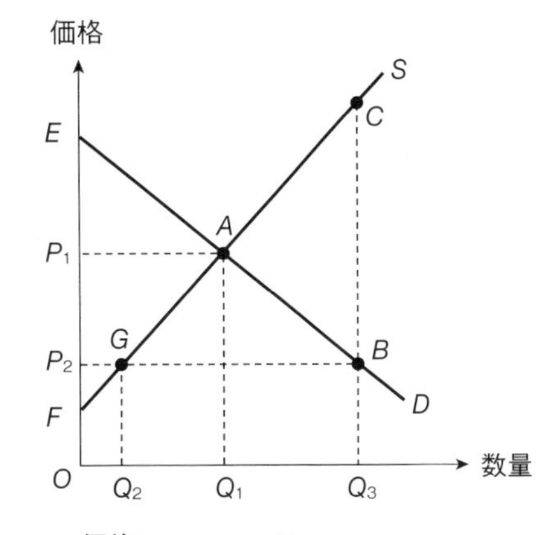

価格　　　　　：P_2
国内需要量　　：Q_3
国内供給量　　：Q_2
輸入量　　　　：Q_2Q_3
消費者余剰　　：△EP_2B
（□EOQ_3B－□P_2OQ_3B）
生産者余剰　　：△P_2FG
（□P_2OQ_2G－□FOQ_2G）
社会的総余剰：□$EFGB$
（△EP_2B＋△P_2FG）

a　×：自由貿易協定により、この財をQ_2Q_3の分だけ輸入する。

b　×：自由貿易協定により、生産者余剰は四角形P_1P_2GAの分だけ減少する。

c　×：自由貿易協定により、社会的総余剰は三角形AGBの分だけ増加する。

正解 ▶ オ

問題 49　貿易政策の理論

1 ／　2 ／　3 ／

下図は、小国であるX国の輸入競争財についての市場均衡分析を示すものである。Dは国内消費者の需要曲線、Sは国内生産者の供給曲線である。国内の均衡価格はP*であり、国際価格P_1のもとで輸入が行われている。ここで政府が、輸入関税を賦課したところ、価格P_2で輸入されることとなった。この関税による税収と関税を賦課することにより生じる死荷重の組み合わせを表すものとして、最も適切なものを下記の解答群から選べ。

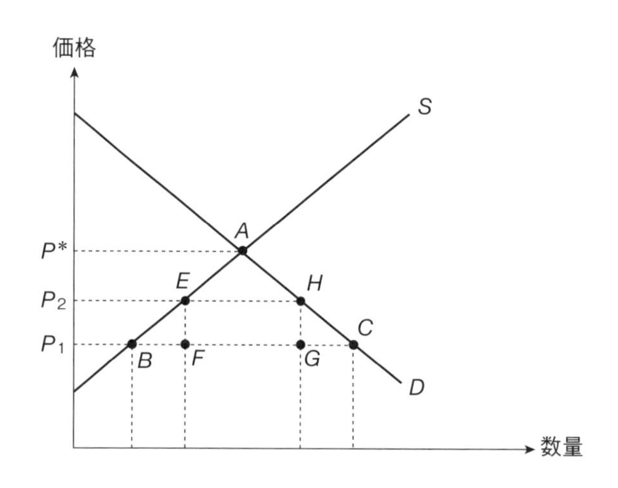

〔解答群〕

ア　税収：四角形*EFGH*　　死荷重：三角形*EBF*＋三角形*HGC*

イ　税収：四角形*EFGH*　　死荷重：三角形*HGC*

ウ　税収：四角形P_2P_1FE　　死荷重：三角形*EBF*＋三角形*HGC*

エ　税収：四角形P_2P_1GH　　死荷重：三角形*HGC*

オ　税収：四角形P_2P_1GH　　死荷重：三角形*AEH*

解説

スピテキLink▶ 3章6節

輸入数量は国内需要量と国内供給量の差であり、政府の関税収入は1単位あたりの関税と輸入量の積で求められる。

《自由貿易時》

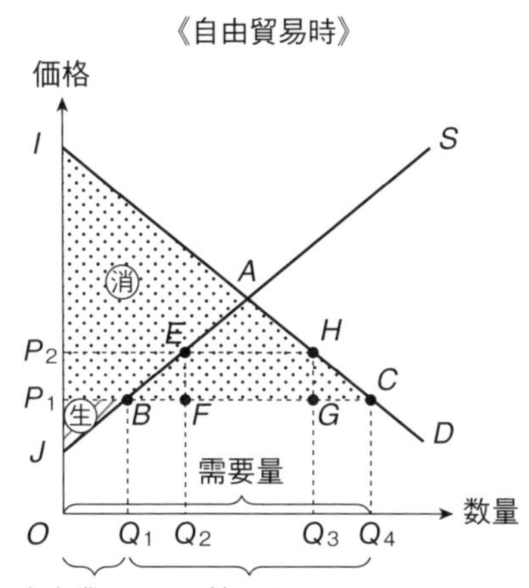

国内企業による供給量　輸入量

- 価格　：P_1
- 需要量　：Q_4
- 供給量　：Q_1
- 輸入量　：Q_1Q_4
- 消費者余剰　：$\triangle IP_1C$
（$\square IOQ_4C - \square P_1OQ_4C$）
- 生産者余剰　：$\triangle P_1JB$
（$\square P_1OQ_1B - \square JOQ_1B$）
- 政府余剰　：なし
- 社会的総余剰：$\square IJBC$

《関税賦課時》

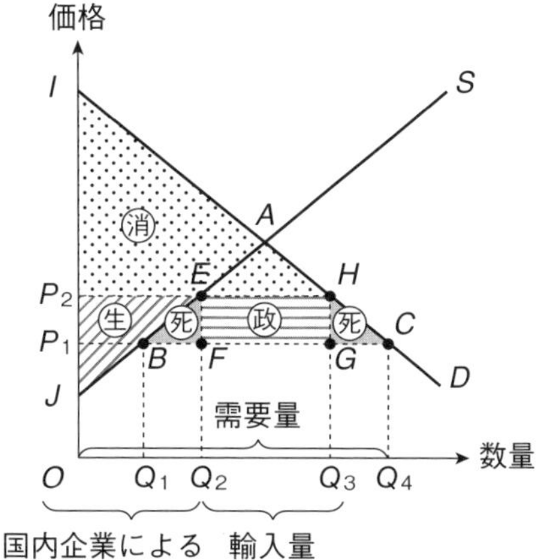

国内企業による供給量　輸入量

- 価格　：P_2
- 需要量　：Q_3
- 供給量　：Q_2
- 輸入量　：Q_2Q_3
- 消費者余剰　：$\triangle IP_2H$
（$\square IOQ_3H - \square P_2OQ_3H$）
- 生産者余剰　：$\triangle P_2JE$
（$\square P_2OQ_2E - \square JOQ_2E$）
- 政府余剰　：$\square EFGH$
（$P_1P_2 \times Q_2Q_3$）
- 社会的総余剰：$IJEFGH$
- 死荷重：$\triangle EBF + \triangle HGC$
（$\square IJBC - IJEFGH$）

上記の余剰分析から、税収は四角形$EFGH$、死荷重は三角形EBF＋三角形HGCである。

正解 ▶ ア

問題 50	貿易政策の理論	1 ／	2 ／	3 ／

下図は、ある国の立場から、ひとつの財の市場のみに注目した部分均衡分析の枠組みを用いて、自由貿易協定の経済効果を示している。当該財の価格がP_1である第Ⅰ国からの輸入に、この国では関税を賦課しており、関税賦課後の価格はP_2となっている。それが、第Ⅱ国と自由貿易協定を結ぶことによって、第Ⅱ国から価格P_3で当該財を輸入できることになった。なお、図中のa～lは線で囲まれた範囲の面積を表すものとする。

第Ⅱ国と自由貿易協定を結ぶ場合、締結前後の社会的総余剰の変化と、協定を結んだ場合の政府余剰の組み合わせとして、最も適切なものを下記の解答群から選べ。

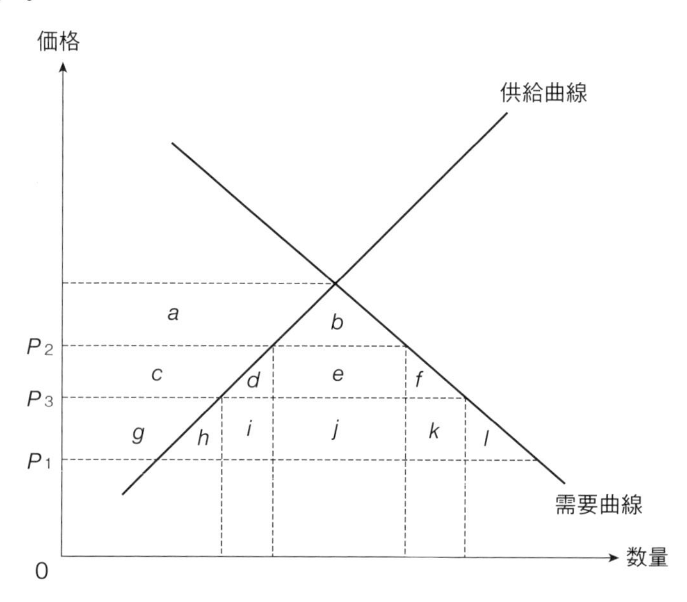

〔解答群〕

ア 社会的総余剰の変化：$d+f$　　政府余剰：なし

イ 社会的総余剰の変化：$d+f+e$　　政府余剰：$e+j$

ウ 社会的総余剰の変化：$d+f+e$　　政府余剰：e

エ 社会的総余剰の変化：$d+f-j$　　政府余剰：e

オ 社会的総余剰の変化：$d+f-j$　　政府余剰：なし

解説

スピテキLink▶　3章6節

関税は輸入分に対して課せられるため、全体の供給量のうち、国内生産者による供給量と輸入による供給量をグラフから読み取る。

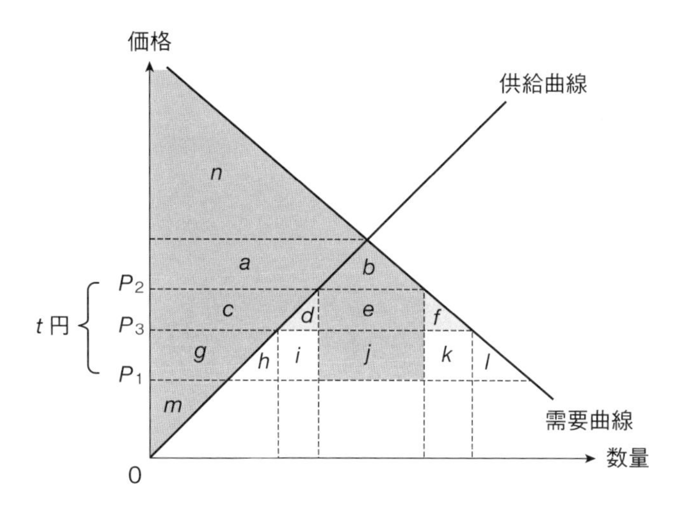

<自由貿易協定締結前>

1単位あたりt円の関税が課せられており、$P_1+t=P_2$の価格でⅠ国から輸入していた。

消費者余剰：$a+b+n$
生産者余剰：$c+g+m$
政府余剰（関税収入）：$e+j$

社会的総余剰：$(a+b+n)+(c+g+m)+(e+j)$

<自由貿易協定締結後>

$P_3<P_1+t=P_2$より、安価なⅡ国から輸入することとなる。

消費者余剰：$a+b+n+(c+d+e+f)$
生産者余剰：$g+m$

社会的総余剰：$(a+b+n+c+d+e+f)+(g+m)$

※関税収入がないため政府余剰はなし。

よって、自由貿易協定締結による社会的総余剰（経済厚生）の変化は、「$d+f-j$」で表される。

正解 ▶ オ

問題 51 不完全競争市場

1 ／ 2 ／ 3 ／

不完全競争市場に関する次の記述の正誤の組み合わせとして、最も適切なものを下記の解答群から選べ。

a 独占市場における最適生産量は限界収入と限界費用が一致する生産量である。この結果、完全競争市場と比べて、市場価格は高くなり、供給量は過少となる。

b 代表的な寡占モデルの1つであるベルトランモデルでは、市場に同質な財を供給する2社が存在すると想定し、これらの2社が相手企業の供給量に対応し、自社の最適な供給量を決めるとする。

c 独占的競争では、各企業の製品は差別化されているため、個々の企業はプライス・テイカーである。

〔解答群〕

ア a：正　b：正　c：正
イ a：正　b：正　c：誤
ウ a：正　b：誤　c：誤
エ a：誤　b：正　c：誤
オ a：誤　b：誤　c：正

解説

スピテキLink▶ 4章2節

不完全競争市場に関する論点を押さえておきたい。

a ○：正しい。独占企業は自らの供給量の変化により価格が変化することを認識しつつ行動する。供給量を増加させると価格は低下するため、供給量増加による収入の増加分が、価格低下による収入の減少分を補えず限界収入は価格よりも低くなると考える。よって、完全競争企業と異なり、独占企業は価格ではなく限界収入と限界費用が一致するように生産量を決める（利潤最大化）。この結果、完全競争市場と比べて供給量は過少となり、それに対応する市場価格は完全競争市場と比べて高くなる。

b ×：ベルトランモデルでは、市場に同質でない財を供給する２社が存在すると想定し、これらの２社が相手企業の価格に対応し、自社の最適な価格を決める。なお、選択肢のモデルは、クールノーモデルである。

c ×：独占的競争では、各企業の製品は差別化されているのは正しい。その結果、各企業は自社製品に対し、価格支配力を持つ。なお、プライス・テイカーとは、自らの行動が市場価格に影響を与えず、市場で決まる価格を受け入れるしかない経済主体をいう。

正解 ▶ ウ

問題52 独占市場

1 ／ 2 ／ 3 ／

下図は、独占市場におけるある企業の短期の状況を描いたものである。*D*は需要曲線、*MC*は限界費用曲線、*MR*は限界収入曲線を表している。この図に関する記述として最も適切なものを下記の解答群から選べ。

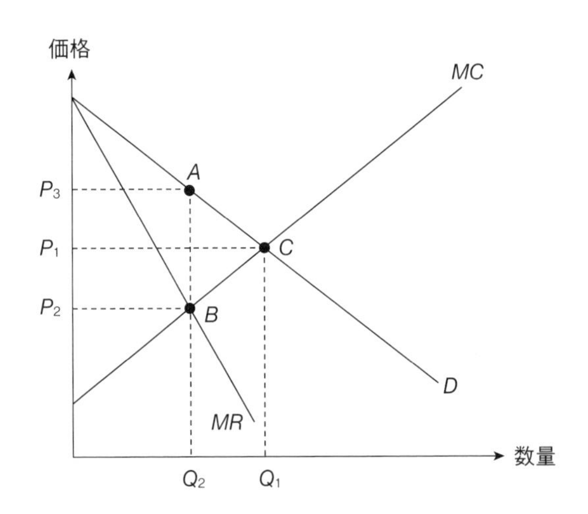

〔解答群〕

ア 独占企業の利潤を最大となる生産量はQ_1であり、そのときの価格はP_1である。

イ 独占企業の利潤を最大となる生産量はQ_2であり、そのときの価格はP_2である。

ウ 独占企業が利潤を最大にするとき、完全競争を想定した場合と比較して、生産者余剰は四角形P_1P_2BCの分だけ小さくなる。

エ 独占企業が利潤を最大にするとき、完全競争を想定した場合と比較して、消費者余剰は四角形P_3P_1CAの分だけ小さくなる。

解説

スピテキLink ▶ 4章2節

独占企業の利潤最大化条件⇒限界収入（MR）＝限界費用（MC）

＜完全競争市場として利潤最大化行動をとった場合＞

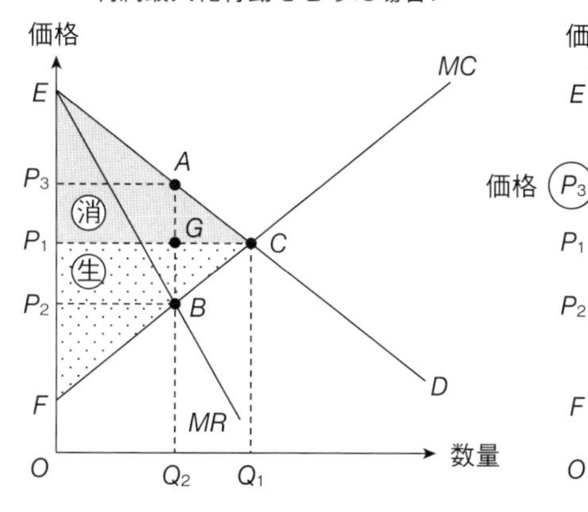

価格　　　　：P_1
供給量　　　：Q_1
消費者余剰　：△EP_1C
（□EOQ_1C－□P_1OQ_1C）
生産者余剰　：△P_1FC
（□P_1OQ_1C－□FOQ_1C）
社会的総余剰：△EFC

＜独占企業の利潤最大化行動＞

価格　　　　：P_3
供給量　　　：Q_2
消費者余剰　：△EP_3A
（□EOQ_2A－□P_3OQ_2A）
生産者余剰　：□P_3FBA
（□P_3OQ_2A－□FOQ_2B）
社会的総余剰：□$EFBA$
※独占による死荷重：
△ABC（△EFC－□$EFBA$）

ア　×：独占企業の利潤を最大となる生産量はQ_2であり、そのときの価格はP_3である。

イ　×：独占企業の利潤を最大となる生産量はQ_2であり、そのときの価格はP_3である。

ウ　×：独占企業が利潤を最大にするとき、完全競争を想定した場合と比較して、生産者余剰は（四角形P_3P_1GA－三角形GBC）の分だけ変化する（四角形P_3P_1GAと三角形GBCの大きさで、大きくなるか小さくなるかは変わる）。

エ　○：正しい。

正解 ▶ エ

問題53 独占的競争市場

1 ／ 2 ／ 3 ／

下図は、独占的競争市場における企業の需要曲線D、限界収入曲線MR、平均費用曲線AC、限界費用曲線MCを示している。長期均衡に関する次の記述のうち、最も適切なものはどれか。ただし、点fで平均費用曲線ACと需要曲線Dは接している。

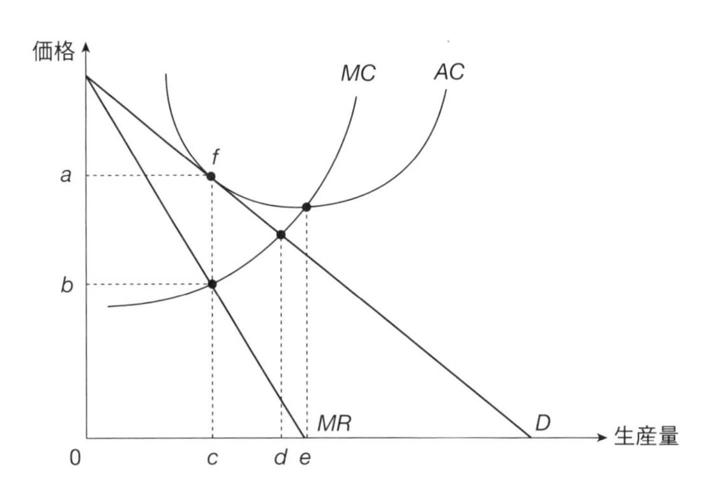

ア 価格はaになり、この企業の利潤はゼロになる。

イ 価格はbになり、この企業の利潤は負になる。

ウ 生産量はcになり、この企業の利潤は正になる。

エ 生産量はdになり、この企業の利潤は正になる。

オ 生産量はeになり、この企業の利潤はゼロになる。

解説

スピテキLink ▶ 4章4節2項

独占企業の利潤最大化条件：「限界収入MR＝限界費用MC」となるように生産量を決定する。

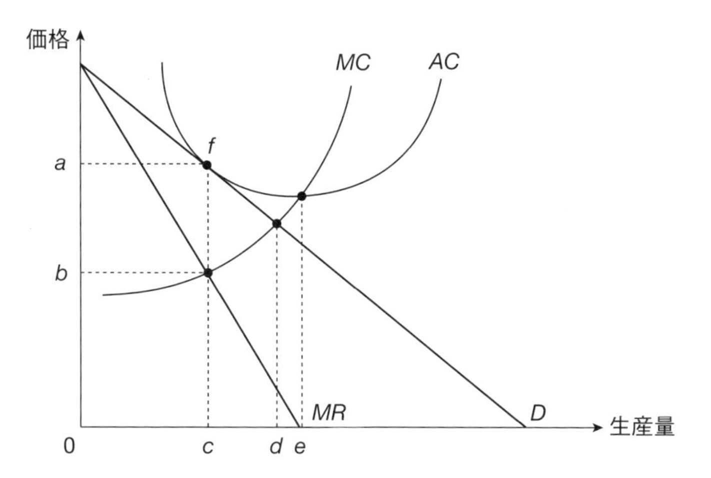

独占的競争企業は「限界収入＝限界費用」となる生産量において利潤が最大化し、それは上図のcの水準である。そのときの価格は需要曲線に沿ってaの水準に決まる。また、独占的競争市場においては、新規参入が続き、やがては各企業の超過利潤はゼロとなる。

正解 ▶ ア

問題54　寡占市場

1／　2／　3／

寡占市場に関する記述の正誤の組み合わせとして、最も適切なものを下記の解答群から選べ。

a　クールノーモデルは、市場に同質でない財を供給する2社のライバル企業が存在し、これらの2社で価格競争を行うことを前提としている。

b　シュタッケルベルクモデルは、2つの企業が価格を戦略変数とし、一方は追従者として、他の企業の行動を所与として利潤最大化を行い、他方は先導者として追従者の行動を読み込んで利潤最大化を行うことを前提としている。

c　屈折需要曲線の理論は、一つの企業が現在よりも価格を高くする場合にライバル企業は追随しないことを前提としている。

〔解答群〕

ア　a：正　b：正　c：誤
イ　a：正　b：誤　c：誤
ウ　a：誤　b：正　c：正
エ　a：誤　b：正　c：誤
オ　a：誤　b：誤　c：正

解説

スピテキLink▶ 4章3節

代表的な寡占モデルである、「クールノーモデル」「ベルトランモデル」「シュタッケルベルクモデル」の概要を押さえておきたい。

a ×：クールノーモデルは、市場に同質な財を供給する2社のライバル企業が存在し、これらの2社で数量競争を行うことを前提としている。

b ×：シュタッケルベルクモデルは、2つの企業が生産量を戦略変数とし、一方は追従者として、他の企業の行動を所与として利潤最大化を行い、他方は先導者として追従者の行動を読み込んで利潤最大化を行うことを前提としている。

c ○：正しい。

正解 ▶ オ

問題55 屈折需要曲線

1 ／ 2 ／ 3 ／

下図は、利潤最大化を目指す合理的な企業がある財の寡占市場で直面する、点Eで屈折した屈折需要曲線DEFを表したものである。この需要曲線のDE部分に対応する限界収入曲線がLM、EF部分に対応する限界収入曲線がRS、この企業のある財における限界費用曲線がMCである。この図に関する説明として最も適切なものはどれか。

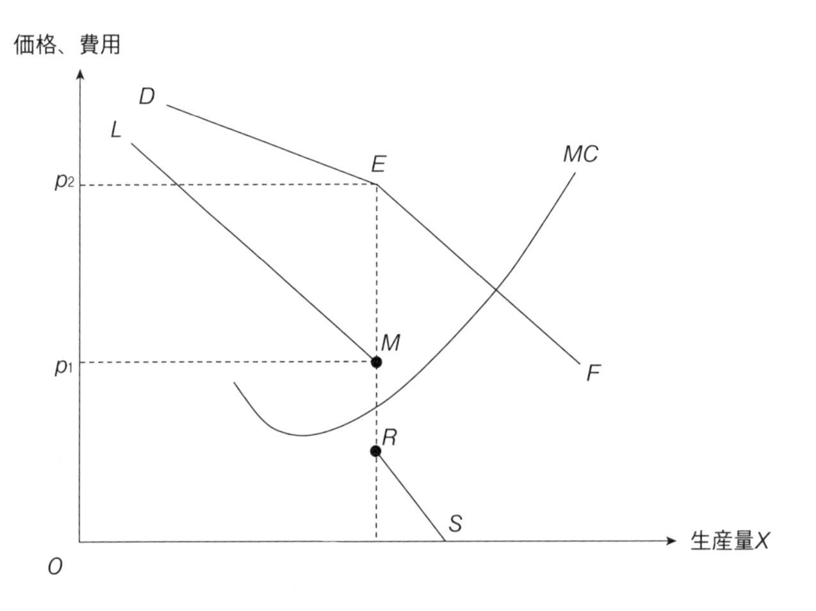

ア　この企業がある財の価格をp_2より引き上げたときは、他の企業も追随して価格の引き上げを行う。

イ　この企業がある財の価格をp_2より引き下げたときは、他の企業も追随して価格の引き下げを行う。

ウ　限界費用曲線MCがMR間を通過する場合は、価格はp_2で安定するが、利潤は価格をp_1に設定した場合に最大になる。

エ　限界費用曲線MCが下方にシフトしてRS間を通過する場合、生産量はMR間を通過する場合より増加するが、価格はp_2にとどまる。

解説

スピテキLink▶　4章3節5項

POINT 屈折需要曲線のモデルでは、「企業が価格を上げると他社はそれに追随しない」ので、「価格を下げた場合」と比較して、需要曲線の傾きが緩やかになる。

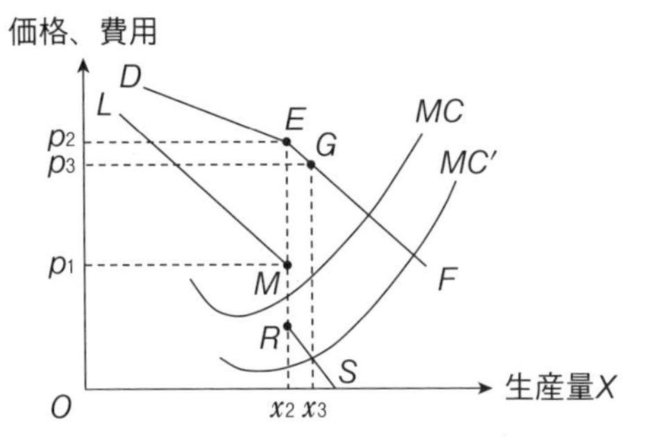

ア　×：屈折需要曲線の理論では、この企業がある財の価格を引き上げた場合、競合する他の企業は追随しないため、この企業が直面する需要が大きく下がることになり需要曲線が価格p_2で屈折すると説明される。

イ　○：正しい。屈折需要曲線の理論では、この企業がある財の価格を引き下げた場合、競合する他の企業も追随し価格を引き下げるとされる。この企業が直面する需要としては、価格の引き下げによる増加がそれほど起こらず、需要曲線はp_2で屈折すると説明される。

ウ　×：限界収入曲線が不連続となる上図の*MR*間を限界費用曲線*MC*が通過する場合、価格はp_2で安定、すなわちp_2より変化しにくくなる。利潤を最大化する価格は、独占市場の場合と同じく限界収入＝限界費用となる生産量、上図のx_2で決定され、生産量がx_2となる需要曲線上の点*E*よりp_2となる。

エ　×：上図の*RS*間を限界費用曲線*MC′*が通過する場合、利潤最大化条件に従った限界収入＝限界費用となる生産量は限界費用曲線*MC*が*MR*間を通過する場合より増加する（上図のx_3）。この場合の価格は、上図の生産量がx_3となる需要曲線上の点Gよりp_3となり、p_2より低下する。

正解 ▶ イ

問題56　ゲーム理論

1 ／　2 ／　3 ／

いま、合理的主体である2つの国が非協調的行動をとるケースを考える。両者による取引において、それぞれの国は戦略Xまたは戦略Yを選択することができる。表中のカッコ内の数字は、左側がA国の利得、右側がB国の利得を表す。この利得表に関する記述として最も適切なものを下記の解答群から選べ。

		B国	
		戦略X	戦略Y
A国	戦略X	(30, 30)	(12, 36)
	戦略Y	(36, 12)	(16, 16)

〔解答群〕

ア　A国は戦略Xを、B国は戦略Yを選択することとなり、この戦略の組み合わせはパレート最適である。

イ　A国は戦略Yを、B国は戦略Xを選択することになり、この戦略の組み合わせはナッシュ均衡である。

ウ　A国、B国ともに戦略Yを選択することとなるが、この戦略の組み合わせはパレート最適である。

エ　A国、B国ともに戦略Yが支配戦略であり、ともに戦略Yを選択すると囚人のジレンマと呼ばれる状態が生じる。

オ　A国、B国ともに戦略を選択することができない囚人のジレンマと呼ばれる状態が生じる。

解説

スピテキLink▶ 4章3節4項

POINT

支配戦略：相手の戦略に関係なく1つに決まる自らの戦略
ナッシュ均衡：各プレイヤーが最適な戦略をとりあっている状態
囚人のジレンマ：両者にとって高い利潤を得ることが可能であるのに、非協調的な行動の結果、より低い利潤しか得られなくなってしまうというようなパレート非効率的な状況

■A国の意思決定

① B国が「戦略X」を選択することを想定した場合
- ・「戦略X」を選択 →「30」の利得
- ・「戦略Y」を選択 →「36」の利得

→A国は、「戦略Y」を選択する。

② B国が「戦略Y」を選択することを想定した場合
- ・「戦略X」を選択 →「12」の利得
- ・「戦略Y」を選択 →「16」の利得

→A国は、「戦略Y」を選択する。

A国は、B国の戦略にかかわらず、「戦略Y」を選択する。
→「戦略Y」はA国の支配戦略となる。

■B国の意思決定

① A国が「戦略X」を選択することを想定した場合
- ・「戦略X」を選択 →「30」の利得
- ・「戦略Y」を選択 →「36」の利得

→B国は、「戦略Y」を選択する。

② A国が「戦略Y」を選択することを想定した場合
- ・「戦略X」を選択 →「12」の利得
- ・「戦略Y」を選択 →「16」の利得

→B国は、「戦略Y」を選択する。

B国は、A国の戦略にかかわらず、「戦略Y」を選択する。
→「戦略Y」はB国の支配戦略となる。

本問においてナッシュ均衡はA国、B国ともに戦略Yを選択した場合である。利得合計が最も大きいのは両国が戦略Xを選択した場合であり、囚人のジレンマが生じていることがわかる。

正解 ▶ エ

問題57 ゲーム理論

1 ／ 2 ／ 3 ／

企業 *A* 、 *B* が代替的な製品を製造・販売している寡占市場があるとする。いま、両企業は自社製品の価格改定の戦略を検討している。下図は、両企業がそれぞれの価格改定の戦略を採用した場合に得られる利得を示している。表中のカッコ内左側の値が企業 *A* の利得、右側の値が企業 *B* の利得を示す。このとき、この利得表におけるナッシュ均衡に関する説明として、最も適切なものはどれか。

		企 業 B		
		値上げを行う	価格を据え置く	値下げを行う
企業 A	値上げを行う	(11, 11)	(6, 12)	(4, 10)
	価格を据え置く	(12, 6)	(8, 8)	(5, 7)
	値下げを行う	(10, 4)	(7, 5)	(6, 6)

ア ナッシュ均衡となる戦略の組み合わせは1つ存在し、それは企業*A*が「値下げを行う」、企業*B*が「値下げを行う」である。

イ ナッシュ均衡となる戦略の組み合わせは1つ存在し、それは企業*A*が「価格を据え置く」、企業*B*が「価格を据え置く」である。

ウ ナッシュ均衡となる戦略の組み合わせは2つ存在し、それは企業*A*が「値上げを行う」、企業*B*が「値上げを行う」と企業*A*が「値下げを行う」、企業*B*が「値下げを行う」である。

エ ナッシュ均衡となる戦略の組み合わせは2つ存在し、それは企業*A*が「価格を据え置く」、企業*B*が「価格を据え置く」と、企業*A*が「値下げを行う」、企業*B*が「値下げを行う」である。

解説

スピテキLink▶ 4章3節4項

POINT 片方の戦略を決定するためには、相手の戦略をひとつに絞り、相手の各戦略において当方が最も高い利得を得られる戦略を選択する。

		企業B		
		値上げを行う	価格を据え置く	値下げを行う
企業A	値上げを行う	(11, 11)	(6, ⑫)	(4, 10)
	価格を据え置く	([12], 6)	([8], ⑧)	(5, 7)
	値下げを行う	(10, 4)	(7, 5)	([6], ⑥)

4章

<企業 *A* の戦略について>

・企業 *B* が「値上げを行う」を採用すると想定すると、企業 *A* は「値上げを行う」で11、「価格を据え置く」で12、「値下げを行う」で10の利得を得る。よって、「価格を据え置く」に戦略を決定する。

・企業 *B* が「価格を据え置く」を採用すると想定すると、企業 *A* は「値上げを行う」で6、「価格を据え置く」で8、「値下げを行う」で7の利得を得る。よって、「価格を据え置く」に戦略を決定する。

・企業Bが「値下げを行う」を採用すると想定すると、企業 *A* は「値上げを行う」で4、「価格を据え置く」で5、「値下げを行う」で6の利得を得る。よって、「値下げを行う」に戦略を決定する。

<企業 *B* の戦略について>

・企業 *A* が「値上げを行う」を採用すると想定すると、企業 *B* は「値上げを行う」で11、「価格を据え置く」で12、「値下げを行う」で10の利得を得る。よって、「価格を据え置く」に戦略を決定する。

・企業 *A* が「価格を据え置く」を採用すると想定すると、企業 *B* は「値上げを行う」で6、「価格を据え置く」で8、「値下げを行う」で7の利得を得る。よって、「価格を据え置く」に戦略を決定する。

・企業 *A* が「値下げを行う」を採用すると想定すると、企業 *B* は「値上げを行う」で4、「価格を据え置く」で5、「値下げを行う」で6の利得を得る。よって、「値下げを行う」に戦略を決定する。

以上より、「企業 *A*：価格を据え置く、企業 *B*：価格を据え置く」と「企業 *A*：値下げを行う、企業 *B*：値下げを行う」の2つのナッシュ均衡が存在する。

正解 ▶ エ

問題58 ゲーム理論

1 ／ 2 ／ 3 ／

下表は、同じ製品市場で競争する企業1と企業2において、aとbは企業1が今後選択する経営方針、cとdは企業2が今後選択する経営方針を示している。また（　）内の左側の数字は企業1の利得を示し、右側の数字は企業2の利得を示している。ここで、企業1は企業2の経営方針の選択を把握したうえで、企業2よりも先に経営方針を決定し、企業1の決定を見てからでないと企業2は経営方針を決定できないものとする。このとき、ナッシュ均衡において選択される企業1と企業2の経営方針について、最も適切なものはどれか。

		企業2	
		c	d
企業1	a	(30, 30)	(15, 40)
	b	(35, 50)	(10, 30)

ア　企業1がaを選択し、企業2がcを選択する。
イ　企業1がaを選択し、企業2がdを選択する。
ウ　企業1がbを選択し、企業2がcを選択する。
エ　企業1がbを選択し、企業2がdを選択する。

解説

スピテキLink▶　4章3節4項

展開型のゲームは、下の図のようなゲームの樹という樹形図で整理する。先手は後手の行動を読み込んで意思決定を行い、後手は先手の行動を見てから意思決定を行う。

本問では企業1は企業2よりも先に経営方針を決定し、企業1の決定を見てからでないと企業2は経営方針を決定できないものとしているので、下図のように経営方針を決定する順番を考慮し解答を検討する。

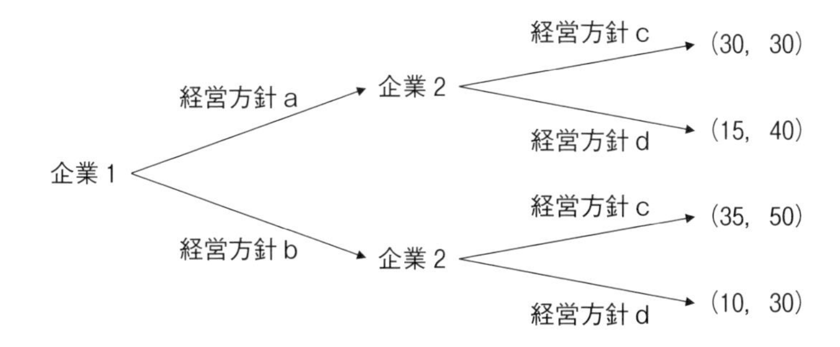

企業1が経営方針をaに決定した場合、企業2は自社の利得が大きい経営方針dを選択するため企業1の利得は15となる。また、企業1が経営方針をbに決定した場合、企業2は自社の利得が大きい経営方針cを選択するため企業1の利得は35となる。これら2つの場合のうち、企業1は経営方針bに決定した場合に利得が大きくなる。よって、企業1が企業2よりも先に経営方針を決定する場合、ナッシュ均衡において選択される経営方針の組み合せは、企業1はb・企業2はcとなる。

正解 ▶ ウ

問題59 外部効果

1 ／ 2 ／ 3 ／

図には、需要曲線D、私的限界費用に基づく供給曲線S_0と外部限界費用を含んだ社会的限界費用を表す供給曲線S_1が描かれている。この図において、政府が外部限界費用にあたる金額を供給者に課税することによって外部不経済が内部化される。この図に関する記述として、最も適切なものの組み合わせを下記の解答群から選べ。

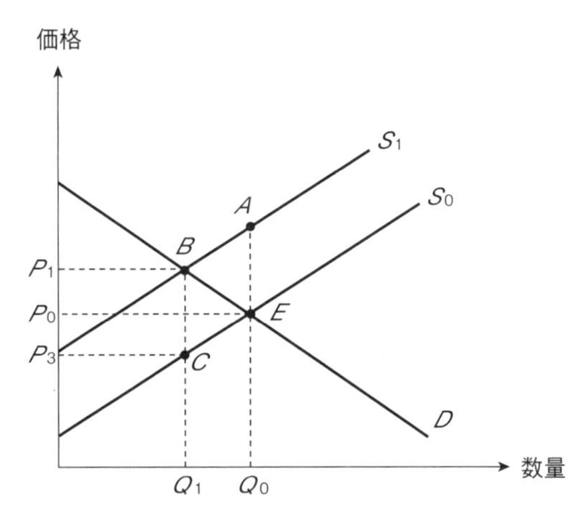

a 課税により、外部不経済は三角形ABEの分だけ減少する。

b 課税により、消費者余剰は四角形P_1P_0EBの分だけ増加する。

c 課税により、生産者余剰は四角形P_0P_3CEの分だけ減少する。

d 課税により、社会的総余剰は三角形ABEの分だけ増加する。

〔解答群〕

ア aとc

イ aとd

ウ bとc

エ bとd

オ cとd

解説

スピテキLink▶　5章2節

外部不経済は、社会的限界費用と私的限界費用との差である。

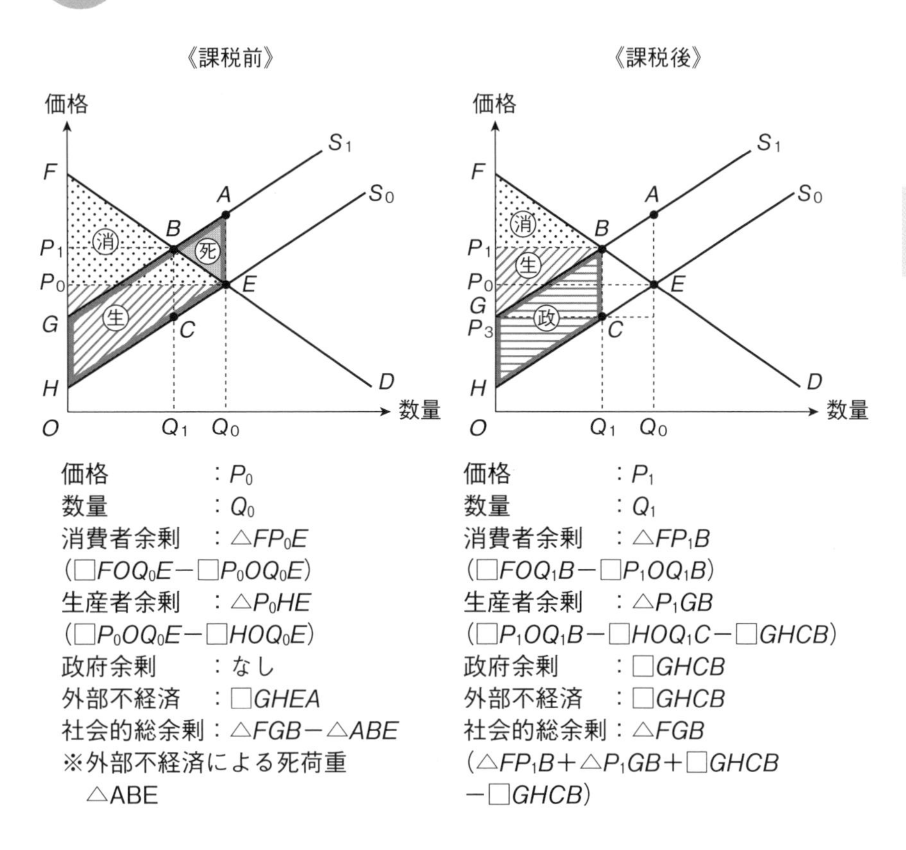

《課税前》

価格　：P_0
数量　：Q_0
消費者余剰　：△FP_0E
（□FOQ_0E－□P_0OQ_0E）
生産者余剰　：△P_0HE
（□P_0OQ_0E－□HOQ_0E）
政府余剰　：なし
外部不経済　：□$GHEA$
社会的総余剰：△FGB－△ABE
※外部不経済による死荷重
△ABE

《課税後》

価格　：P_1
数量　：Q_1
消費者余剰　：△FP_1B
（□FOQ_1B－□P_1OQ_1B）
生産者余剰　：△P_1GB
（□P_1OQ_1B－□HOQ_1C－□$GHCB$）
政府余剰　：□$GHCB$
外部不経済　：□$GHCB$
社会的総余剰：△FGB
（△FP_1B＋△P_1GB＋□$GHCB$
－□$GHCB$）

a　×：課税により、外部不経済は四角形$BCEA$の分だけ減少する。

b　×：課税により、消費者余剰は四角形P_1P_0EBの分だけ減少する。

c　○：正しい。三角形P_1GBと三角形P_3HCは合同な三角形である。よって、生産者余剰は三角形P_0HEから三角形P_3HCへと減少、つまり、四角形P_0P_3CEの分だけ減少するといえる。

d　○：正しい。課税により死荷重が解消され、社会的総余剰は最大となる。

正解 ▶ オ

問題60　外部効果

1 ／　2 ／　3 ／

企業が外部不経済を発生させている状況に対して、政府が課税によって対処することの効果を考える。下図において、Dは需要曲線、S_1は私的限界費用曲線、S_2は社会的限界費用曲線である。この図に関する記述の正誤の組み合わせとして、最も適切なものを下記の解答群から選べ。

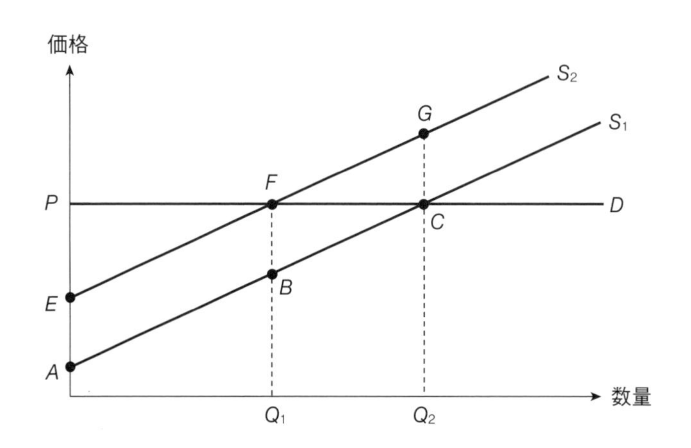

a　課税によって、外部不経済は四角形$FBCG$の分だけ減少する。

b　課税によって、生産者余剰は四角形$EACG$の分だけ減少する。

c　課税によって、政府は四角形$EABF$の税収を得る。

〔解答群〕

ア　a：正　b：正　c：正

イ　a：正　b：正　c：誤

ウ　a：正　b：誤　c：正

エ　a：誤　b：誤　c：正

オ　a：誤　b：誤　c：誤

解説

スピテキLink▶　5章2節2・3項

外部不経済は、社会的費用と生産に必要な費用との差額である。

課税前の市場均衡点は需要曲線と私的限界費用曲線の交点である点Cであり、均衡取引量はQ_2、均衡価格はPとなる。また、課税後の市場均衡点は需要曲線と社会的限界費用曲線の交点である点Fであり、均衡取引量はQ_1、均衡価格はPである。

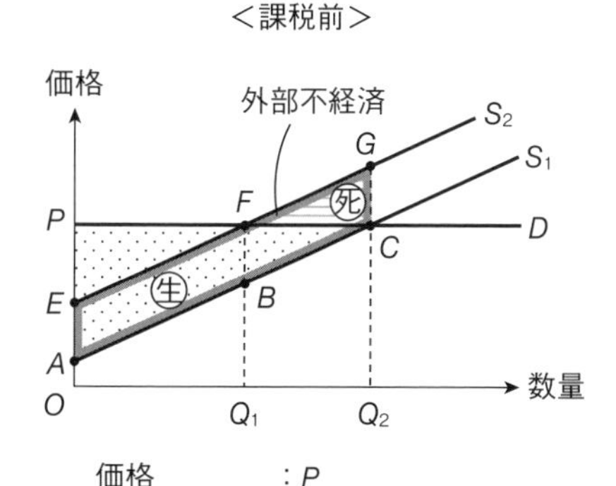

価格　　　　：P
供給量　　　：Q_2
消費者余剰　：なし
（□POQ_2C－□POQ_2C）
生産者余剰　：△PAC
（□POQ_2C－□AOQ_2C）
外部不経済　：□$EACG$
社会的総余剰：△PEF－△GFC

※外部性による死荷重：△GFC
（△PEF－（△PEF－△GFC））

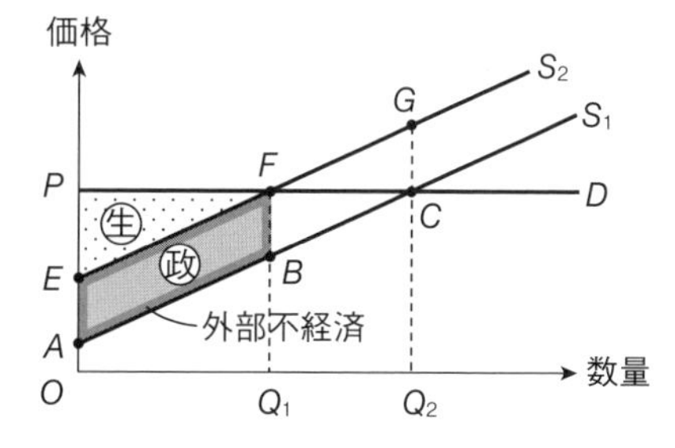

価格　　　　：P
供給量　　　：Q_1
消費者余剰　：なし
（□POQ_1F－□POQ_1F）
生産者余剰　：△PEF
（□POQ_1F－□AOQ_1B－□$EABF$）
外部不経済　：□$EABF$
政府余剰　　：□$EABF$
社会的総余剰：△PEF

a　○：正しい。
b　×：課税によって、生産者余剰は四角形$EACF$の分だけ減少する。
c　○：正しい。

正解 ▶ ウ

問題61 外部効果

1 ／ 2 ／ 3 ／

外部性の是正手段に関する記述として、最も不適切なものはどれか。

ア 個々の人々が社会的な費用を考慮に入れて行動するように、社会的限界費用と私的限界費用の乖離分だけ税金を課す、もしくは補助金を与えるという方法が考えられる。

イ ゴミの削減に対して補助金を交付すると、ゴミの排出により失われる補助金が機会費用となるため、ゴミの排出に対して税金を課した場合と同様の効果が期待できる。

ウ 外部性による非効率性の是正手段として、二酸化炭素の排出権取引や合併を考えることができる。

エ コースの定理は、交渉費用がかからないという前提のもとで所有権の設定を行えば、当事者間の交渉によりパレート効率的な資源配分が実現し、所有権の設定の仕方は所得の分配や資源配分には影響しないというものである。

解説

スピテキLink▶ 5章2節3項

外部性の是正手段について押さえておきたい。

ア ○：正しい。
イ ○：正しい。
ウ ○：正しい。
エ ×：文章の前半は正しいが、所有権の設定の仕方は所得の分配に影響を与える。

正解 ▶ エ

問題62 外部効果

1 ／ 2 ／ 3 ／

ある財の生産において公害が発生し、私的限界費用曲線と社会的限界費用曲線が下図のように乖離している。ここで、政府は企業が社会的に最適な生産量を産出するように、1単位あたりAFの従量税を課すことを決定した。図のDは需要曲線である。下図に関する記述として、最も適切なものの組み合わせを下記の解答群から選べ。

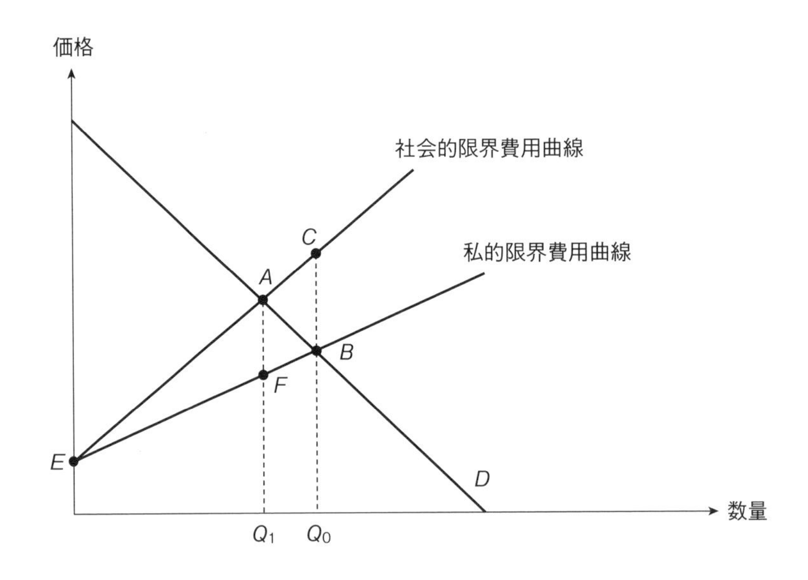

a　課税により、生産量はQ_0からQ_1へ減少する。

b　課税により、外部不経済は四角形$AFBC$の分だけ減少する。

c　政府の税収は三角形AEFで示される。

d　課税により、総余剰は三角形ABCの分だけ小さくなる。

〔解答群〕

ア　aとb

イ　aとbとc

ウ　bとc

エ　bとcとd

オ　cとd

解説

スピテキLink▶ 5章2節2・3項

「社会的総余剰＝消費者余剰＋生産者余剰＋政府余剰－外部不経済」である。

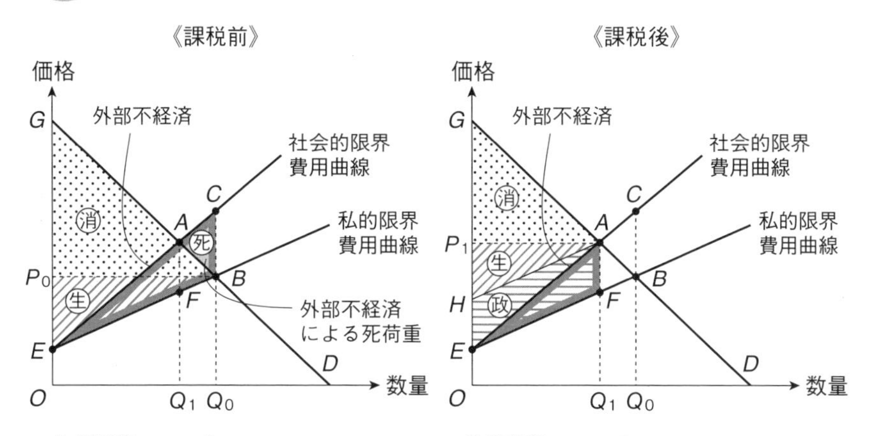

均衡価格　　：P_0
均衡取引量　：Q_0
消費者余剰　：△GP_0B
（□GOQ_0B－□P_0OQ_0B）
生産者余剰　：△P_0EB
（□P_0OQ_0B－□EOQ_0B）
政府余剰　　：なし
外部不経済　：△CEB
社会的総余剰：△GEA－△ABC
（△GP_0B＋△P_0EB－△CEB）
※外部性による死荷重：△ABC
（△GEA－（△GEA－△ABC））

均衡価格　　：P_1
均衡取引量　：Q_1
消費者余剰　：△GP_1A
（□GOQ_1A－□P_1OQ_1A）
生産者余剰　：△P_1HA
（□P_1OQ_1A－□EOQ_1F－□$HEFA$）
政府余剰　　：□$HEFA$
（AF×OQ_1）
外部不経済　：△AEF
社会的総余剰：△GEA
（△GP_1A＋△P_1HA＋□$HEFA$－△AEF）

a　○：正しい。

b　○：正しい。外部不経済は社会的限界費用と私的限界費用の垂直差の合計で表される。生産量がQ_0のときは△CEB、生産量がQ_1のときは△AEFとなる。

c　×：税収は「1単位あたりの税収×生産量」で表される。よって、上図の四角形$HEFA$となる。

d　×：課税により、総余剰は△ABCの分だけ大きくなる。

正解 ▶ ア

問題63 コースの定理

1 ／ 2 ／ 3 ／

コースの定理についての以下の記述のうち、最も適切なものを選べ。

ア 取引費用が存在する状況では、当事者間の交渉の結果、パレート効率的な資源配分が実現するということを明らかにした。

イ 場合によっては、所有権の割り当ての方法を変えたとしても、実現する資源配分が変わらないということを明らかにした。

ウ 負の外部性が存在するときには、被害を受ける側に補償を与える必要があることを明らかにした。

エ 負の外部性は、課税を適切に導入することで解決可能であることを明らかにした。

解説

スピテキLink ▶ 5章2節3項

POINT コースの定理とは、取引費用（契約するための費用）が存在しない、当事者間の所有権の設定が明確である、といった条件のもとで、当事者間の自由な契約により必ずパレート効率的な配分がなされ、かつ所有権の設定は、所得分配を変更するだけで、実現する資源配分は変わらない、ということを主張するものである。

ア ×：「取引費用が存在する状況」ではなく、「取引費用が存在しない状況」である。

イ ○：正しい。取引費用が存在しない場合には、所有権の割り当ての方法を変えたとしても、実現する資源配分が変わらないということを明らかにした。

ウ ×：どちらに補償を与えるべきかを主張した考え方ではない。

エ ×：当事者間の自主的な交渉で外部性が解決可能な場合があることを明らかにした。課税とは関係がない。

正解 ▶ イ

問題64　外部不経済

1／　2／　3／

以下の文章を読んで、文章中の空欄Aおよび空欄Bに入る最も適切なものの組み合わせを下記の解答群から選べ。

ある財の生産に関して外部不経済が発生する場合、市場の価格メカニズムにより決定される生産量（取引量）はパレート最適な水準に比べて［A］になる。このようにアダム・スミスの、神の「見えざる手」がうまく機能せず、市場の自由競争に委ねた結果、パレート最適ではない状態が達成されてしまうことを「［B］」とよぶ。

〔解答群〕

ア　A　過大　　B　市場の失敗
イ　A　過大　　B　政府の失敗
ウ　A　過少　　B　市場の失敗
エ　A　過少　　B　政府の失敗

解説

スピテキLink▶ 5章2節3項

市場の失敗が生じる代表的なケースとしては、①不完全競争、②外部効果の存在、③公共財の存在、④情報の不完全性、⑤費用逓減産業　などがある。

※アダム・スミス：神の『見えざる手』
経済学の始祖といわれるアダム・スミスが「諸国民の富：1776年」の中で述べた言葉であり、次のような意味で使われる。
「消費者は自分の効用を、企業は利潤をそれぞれできるだけ大きくしようと利己的に行動すると、競争的な価格メカニズムという神の『見えざる手：invisible hand』に導かれて、より大きな社会的厚生を得ることができる」

外部不経済が存在する場合、自由競争に委ねた結果の均衡（完全競争市場均衡）における生産量は、パレート最適な生産量に比べて過大になる。これは、外部不経済を発生させる主体が自らのもたらす外部性（周囲への迷惑）を考慮せずに生産量を決定するからである。

よって［A］には「過大」が入る。

また、市場の自由競争に委ねた結果として、パレート最適ではない配分（失敗）が生ずることから、このような現象は「市場の失敗」とよばれる。

したがって［B］には「市場の失敗」が入る。

正解 ▶ ア

問題65 公共財

1 ／ 2 ／ 3 ／

次の公共財に関する文章中の空欄A～Cに入る最も適切なものの組み合わせを下記の解答群から選べ。

経済学において（純粋）公共財は非競合性、非排除性という2つの特徴を備えた財として定義される。たとえば一般道路を考えてみよう。一般道路はその建設費用を直接支払わずとも利用できるため［ A ］。他方、渋滞が生ずると一般道路の利用から個々の利用者が得る便益は低下するため、［ B ］。以上から、一般道路は純粋公共財［ C ］と結論づけられる。

〔解答群〕

ア　A：非排除性を満たす　B：非競合性を満たす　C：である
イ　A：非排除性を満たさない　B：非競合性を満たさない　C：ではない
ウ　A：非排除性を満たす　B：非競合性を満たさない　C：ではない
エ　A：非排除性を満たさない　B：非競合性を満たす　C：ではない
オ　A：非排除性を満たす　B：非競合性を満たさない　C：である

解説

スピテキLink▶ 5章3節

POINT

（純粋）公共財は非競合性と非排除性という2つの性質を満たす財として定義される。非競合性とは、その財の消費から得る効用が他者が同じ財を消費していることに依存しないということである。非排除性とは、対価を支払わず財を消費しようとする消費者を排除できないという性質である。

一般道路は税金によって建設・維持管理されているが、税金をまったく払わずとも利用できるため、非排除性を満たす。

他方、渋滞が生ずると移動スピードは低下し、利用者が道路の利用から得る便益は低下する。結果、ある利用者が道路利用から得る便益は、他の利用者の影響を受けるため、非競合性を満たさない。

したがって、一般道路は非排除性を満たし、非競合性を満たさないため、純粋公共財ではない。以上から、Aは「非排除性を満たす」、Bに「非競合性を満たさない」そしてCには「（公共財）ではない」が入る。

正解 ▶ ウ

問題66　公共財

1 ／　2 ／　3 ／

公共財に関する記述の正誤の組み合わせとして、最も適切なものを下記の解答群から選べ。

a　非競合性と非排除性の性質を持つ財を公共財という。その財の供給を市場に任せると過少になる傾向がある。

b　海洋資源などの共有資源は、排除性はないが、競合性がある。

c　公共財の供給を市場に任せるとフリーライダー問題が生じる可能性がある。

〔解答群〕

ア　a：正　b：正　c：正

イ　a：正　b：誤　c：正

ウ　a：誤　b：正　c：誤

エ　a：誤　b：正　c：正

オ　a：誤　b：誤　c：正

解説

スピテキLink▶　5章3節

POINT

非競合性：ある人の消費によって別の人が消費できる量が減らないこと

非排除性：対価を支払わない人が消費することを排除することができないこと

フリーライダー問題：自らが得ている便益にかなう対価を公共財に対して支払おうとはせず、他の人にただ乗りしようとすること

→市場の取引に任せていては、十分な量の公共財の供給が行われない

	排除性なし（非排除性）	排除性あり
競合性なし（非競合性）	純粋公共財（警察、国防）	準公共財（クラブ財）
競合性あり	準公共財（共有資源）	私的財（電気製品、みかん）

a　○：正しい。

b　○：正しい。上表を参照。

c　○：正しい。

正解 ▶ ア

問題67 逆選択

1 ／ 2 ／ 3 ／

情報の非対称性に起因する逆選択に該当するものとして最も適切なものはどれか。

ア 公的資金による保護があるために、銀行が融資先を慎重に選択しないこと。

イ 優良な投資信託に資金が集まるとは限らないこと。

ウ 自動車保険に加入したことで、運転手の注意が散漫となること。

エ 粗大ゴミの処理料金を値上げすると、不法投棄が増えること。

解説

スピテキLink▶　5章4節

「逆選択」：性質に関する情報の非対称性が存在する場合に生じ得る。また、契約前に発生する。

ア　×：「公的資金による保護があるために、銀行が融資先を慎重に選択しないこと」は、モラルハザードの例である。

イ　○：正しい。

ウ　×：「自動車保険に加入したことで、運転手の注意が散漫となること」は、モラルハザードの例である。

エ　×：「粗大ゴミの処理料金を値上げすると、不法投棄が増えること」は、モラルハザードの例である。

正解 ▶ イ

問題68 モラルハザード

1 ／ 2 ／ 3 ／

情報の非対称性に起因するモラルハザードに該当するものとして最も適切な組み合わせを下記の解答群から選べ。

a 公的資金を導入すると、企業が経営努力を行わなくなること。
b 不健康な人ほど、保険に加入する傾向が強いこと。
c 保険に加入することで、不摂生な生活を送るようになること。
d 悪貨が良貨を駆逐すること。

〔解答群〕

ア aとb
イ aとc
ウ bとc
エ bとd
オ cとd

解説

スピテキLink ▶ 5章4節

逆選択とモラルハザードをまとめると以下のようになる。

	具体例	発生時期	解消法の例
逆選択	自動車の事故保険では、保険金を受領する可能性が高い人ほど加入する。	契約前に発生	※シグナリング ※自己選択
モラルハザード	自動車の事故保険に加入した人が、乱暴な運転をするようになる。	契約後に発生	※インセンティブ

※　シグナリング　：情報をもっている主体が、もっていない主体に対し、自ら情報を伝えようとすること。

※　自己選択　：情報をもっているほうの主体が自ら情報を開示するような行動をとるように仕向ける仕組みのこと。

※　インセンティブ：契約を遵守させるような誘因のこと。

a　○：正しい。

b　×：逆選択の例である。

c　○：正しい。

d　×：逆選択の例である。

正解 ▶ イ

問題69　情報の非対称性

1 ／ 2 ／ 3 ／

情報の非対称性に関する記述の正誤の組み合わせとして、最も適切なものを下記の解答群から選べ。

a　公的資金を導入すると、企業が経営努力を行わなくなるという逆選択が発生する。

b　自動車保険に加入することで、ドライバーが安全運転を怠るというモラルハザードが発生する。

c　シグナリングとは情報を持たない側が複数の契約条件を提示し、その中から相手に選択させることにより相手の属性を開示させる方法をいう。

〔解答群〕

ア　a：正　b：正　c：正
イ　a：正　b：正　c：誤
ウ　a：正　b：誤　c：誤
エ　a：誤　b：正　c：誤
オ　a：誤　b：誤　c：正

解説

スピテキLink▶ 5章4節

POINT

性質に関する情報の非対称性＝一方の主体がもう一方の主体に比べ、財などの性質に関して少ない情報しかもっていないこと
→逆選択が生じる

行動に関する情報の非対称性＝一方の主体がもう一方の主体の行動を監視できない、あるいは監視するのが難しいために、どのような行動をとっているのか把握できないこと
→モラルハザードが生じる

a ×：「公的資金を導入すると、企業が経営努力を行わなくなる」ことはモラルハザードの例である。

b ○：正しい。

c ×：情報を持たない側が複数の契約条件を提示し、その中から相手に選択させることにより相手の属性を開示させる方法を自己選択（スクリーニング）という。シグナリングとは、情報を持っている主体が、持っていない主体に対し、自ら情報を伝えようとすることである。たとえば、パソコンの販売業者が長期間の無料保証をつけるようなことである。

正解 ▶ エ

問題 70	費用逓減産業（自然独占）	1 ／	2 ／	3 ／

次の図は、費用逓減産業における自然独占の例を示したものである。企業の限界費用はMC、需要関数はD、限界収入はMR、平均費用はACで示されている。なお、限界費用曲線は水平であるものとする。この図の説明として最も適切なものはどれか。

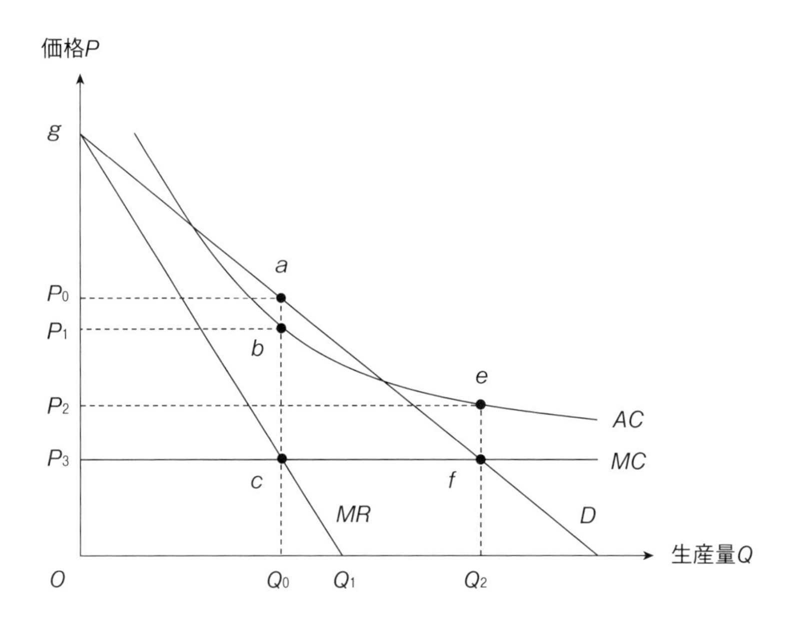

ア　この独占企業の利潤は、四角形P_0acP_3である。

イ　この独占企業の固定費用は、四角形P_1bcP_3である。

ウ　限界費用に等しい価格付けを行う場合、社会的総余剰は四角形gfQ_2Oである。

エ　平均費用に等しい価格付けを行う場合、この独占企業の生産者余剰は生じない。

解説

スピテキLink▶　5章5節3項

POINT 費用逓減産業とは、莫大な固定費が必要となるために、平均費用が右下がりになる産業である。これらの産業では、規模を拡大する誘因をもつため、完全競争市場のもとでは自然独占を発生させる可能性が高い。このとき、企業は独占的な行動により価格を高く設定し、供給量を抑制するなどのおそれがあるため、政府の規制が必要となる。

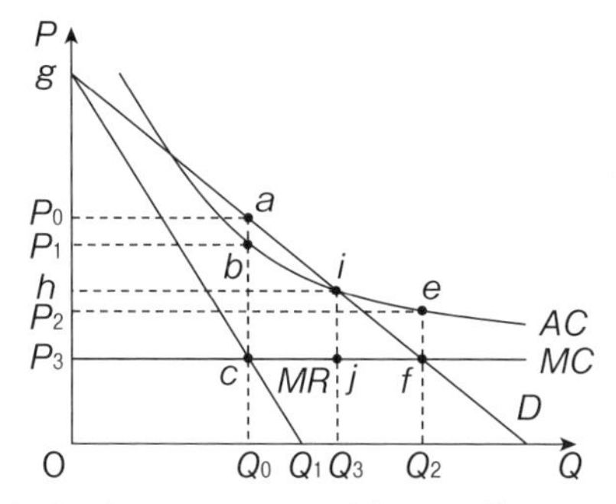

ア　×：この独占企業（規制がない場合）は、「限界収入＝限界費用」となる生産量Q_0を選択し、その場合の価格はP_0、平均費用はP_1である。利潤は、「収入（四角形P_0aQ_0O）－総費用（四角形P_1bQ_0O）」より、四角形P_0abP_1である。

イ　○：正しい。「固定費用＝総費用（四角形P_1bQ_0O）－可変費用（四角形P_3cQ_0O）」より、四角形P_1bcP_3である。

ウ　×：限界費用に等しい価格付けを行う場合とは、価格をP_3、生産量をQ_2に規制するということである。消費者余剰は三角形gfP_3、生産者余剰はなし（収入・四角形P_3fQ_2O－可変費用・四角形P_3fQ_2Oより）社会的総余剰は三角形gfP_3となる。

エ　×：平均費用に等しい価格付けを行う場合とは、価格は上図のh、生産量をQ_3に規制するということである。この場合、生産者余剰は四角形$hijP_3$（収入・四角形hiQ_3O－可変費用・四角形P_3jQ_3Oより）となる。

正解　▶　イ

5章

問題71 二部料金制

1 ／ 2 ／ 3 ／

独占企業への価格規制のひとつとして「二部料金制」が知られている。二部料金制についての説明として最も適切なものはどれか。

ア 二部料金制では平均費用を従量料金として課すため、独占企業に赤字が生じない。

イ 二部料金制では限界費用を従量料金として課し、それにより生ずる消費者余剰をすべて基本料金として徴収する。

ウ 二部料金制では限界費用を従量料金として課すが、それだけでは固定費用分の赤字が発生するため、固定費用部分を基本料金として消費者に負担させる。

エ 二部料金制では平均費用を従量料金として課し、さらに固定費用部分を基本料金として消費者に負担させる。

解説

スピテキLink▶　5章5節3項

POINT

費用逓減産業では少数の企業に供給させることが社会的にも効率的になるが、少数企業のプライス・メーカーにより価格がつり上げられるという弊害には対処しなければならない。そのため政府は価格づけ方法について一定の規制を敷く必要があり、そのひとつの方法が二部料金制である。

「二部料金制」とは限界費用に等しい従量料金を設定し、固定費用の部分を基本料金として課す方法である。この方法ならば価格＝限界費用なので完全競争と同じように総余剰が最大化され、かつ固定費用の部分を基本料金として課すことで企業に赤字が発生することを防げる。

正解 ▶ ウ

問題72 国民経済計算

1／ 2／ 3／

国民経済計算の概念として、最も適切なものはどれか。

ア GDPはある国において一定期間内に生み出される生産額の合計額である。

イ 国民総所得は、「GDP＋海外からの純所得受け取り」で表される。

ウ 支出面から見たGDPは、「民間・政府最終消費支出＋国内総固定資本形成－在庫品増加＋輸出－輸入」で表される。

エ 分配面から見たGDPは、「雇用者報酬＋営業余剰・混合所得＋固定資本減耗＋補助金－間接税」で表される。

オ 国内純生産は、「GDP＋固定資本減耗」で表される。

解説

スピテキLink▶ 6章1節1項〜3項

POINT 三面等価の原則（生産面から見たGDP＝支出面から見たGDP＝分配面から見たGDP）

生産面から見たGDP＝付加価値（生産額−中間投入額）の合計

支出面から見たGDP（GDE）
＝民間・政府最終消費支出＋国内総固定資本形成＋在庫品増加＋輸出−輸入
（輸出−輸入：純輸出）

分配面から見たGDP
＝雇用者報酬＋営業余剰・混合所得＋固定資本減耗＋間接税−補助金

国民総所得＝国内総生産＋海外からの所得受け取り−海外への所得支払い

国内純生産＝国内総生産−固定資本減耗

ア ×：GDPはある国において一定期間内に生み出される付加価値（生産額−中間投入額）の合計である。

イ ○：正しい。

ウ ×：支出面から見たGDPは、「民間・政府最終消費支出＋国内総固定資本形成＋在庫品増加＋輸出−輸入」で表される。

エ ×：分配面から見たGDPは、「雇用者報酬＋営業余剰・混合所得＋固定資本減耗＋間接税−補助金」で表される。

オ ×：国内純生産は、「GDP−固定資本減耗」で表される。

正解 ▶ イ

問題73　国民経済計算

1 ／　2 ／　3 ／

次のGDPに関する文章中の空欄A ～ Dに入る最も適切なものの組み合わせを下記の解答群から選べ。

生産面から見たGDP、支出面から見たGDP、分配面から見たGDPが［ A ］に一致することを「三面等価の原則」という。このうち、生産面から見たGDPは各生産段階における［ B ］の総計に等しく、支出面から見たGDPは［ C ］とよばれる。なお、GDPから固定資本減耗を差し引いたものを［ D ］とよぶ。

〔解答群〕

ア　A：事前的　B：中間生産物の価値　C：国内総支出
　D：国民純生産

イ　A：事前的　B：付加価値　C：国民総支出
　D：国民純生産

ウ　A：事後的　B：中間生産物の価値　C：国民総支出
　D：国民純生産

エ　A：事後的　B：中間投入の価値　C：国内総支出
　D：国内純生産

オ　A：事後的　B：付加価値　C：国内総支出
　D：国内純生産

解説

スピテキLink▶ 6章1節3項

国内総生産（GDP）には生産面から見たGDP、分配面から見たGDP、支出面から見たGDPという３つの見方がある（三面等価の原則）。

問題文の空欄に適切な用語を含めた文章は、以下のとおりとなる。

生産面から見たGDP、支出面から見たGDP、分配面から見たGDPが事後的（空欄Ａ）に一致することを「三面等価の原則」という。このうち、生産面から見たGDPは各生産段階における付加価値（空欄Ｂ）の総計に等しく、支出面から見たGDPは国内総支出（空欄Ｃ）とよばれる。なお、GDPから固定資本減耗を差し引いたものを国内純生産（空欄Ｄ）とよぶ。

以下は、それぞれの用語に関する補足である。

・空欄Ａ：GDPは国内総生産であり、各生産段階における付加価値（空欄Ｂ）の総計である。生産された付加価値は、他の経済主体が支出して購買（消費）される。さらに、価値を生産し提供した経済主体は、受け取った対価を雇用者（報酬）や政府（税）に分配する。このように「生産面」「支出面」「分配面」から見たGDPは事後的に一致する。

・空欄Ｂ：空欄Ａの解説を参照。

・空欄Ｃ：支出面から見たGDPは、「国内総支出」（GDE）として統計がとられている。

> 国内総支出（GDE）
> 　＝民間・政府最終消費支出＋国内総固定資本形成＋在庫品増加
> 　　＋輸出－輸入

また、分配面から見たGDPは以下の式で表される。

> 分配面から見たGDP
> 　＝雇用者報酬＋営業余剰・混合所得＋固定資本減耗＋間接税
> 　　－補助金

正解 ▶ オ

問題74 国民経済計算

1 ／ 2 ／ 3 ／

ある国の経済において、国民経済計算の資料が次のように与えられたとき、国内総生産（GDP）と国内純生産（NDP）の大きさとして、最も適切なものの組み合わせを下記の解答群から選べ。

民間最終消費支出	300
政府最終消費支出	110
国内総固定資本形成	135
固定資本減耗	120
在庫品増加	10
財貨・サービスの輸出	95
財貨・サービスの輸入	90
補助金	5

（単位：兆円）

〔解答群〕

ア 国内総生産：560　国内純生産：425

イ 国内総生産：560　国内純生産：440

ウ 国内総生産：685　国内純生産：550

エ 国内総生産：685　国内純生産：565

解説

スピテキLink▶　6章1節3項

POINT
支出面から見たGDP
＝民間・政府最終消費支出＋国内総固定資本形成＋在庫品増加＋輸出－輸入

分配面から見たGDP
＝雇用者報酬＋営業余剰・混合所得＋固定資本減耗＋間接税－補助金

「国内総生産(支出面)＝民間最終消費支出＋政府最終消費支出＋国内総固定資本形成＋在庫品増加＋(財貨・サービスの輸出－輸入)」より、

国内総生産＝300＋110＋135＋10＋(95－90)＝560（兆円）

「国内純生産＝国内総生産－固定資本減耗」より、

国内純生産＝560－120＝440（兆円）

正解 ▶ イ

問題 75　国民経済計算

1 ／　2 ／　3 ／

国内総生産（GDP）に含まれるものとして、最も適切なものはどれか。

ア　利子や配当の受け取り額
イ　株式や土地の資産価格の変化
ウ　中古品の売買金額
エ　主婦の家事労働

解説

スピテキLink ▶ 6章1節5項

POINT GDPに計上されるのは、基本的には新たに生み出された付加価値であって市場で取引される財・サービスである。しかし、実際に取引が行われなくても、あたかも取引が行われるように記録したほうが、国民経済の姿を正確にとらえるという目的にかなう場合がある。このような記録の仕方を帰属計算という。

ア ○：正しい。利子や配当の受け取り額は、GDPに計上される。

イ ×：株式や土地の資産価格の変化（あるいは売買金額）は、新たな付加価値を生み出す活動によるものではなく、GDPには計上されない。ただし、その仲介サービスは新たな付加価値を生み出す活動であり、GDPに計上される。

ウ ×：中古品の売買金額は、新たな付加価値を生み出す活動によるものではなく、GDPには計上されない。

エ ×：主婦の家事労働は新たな付加価値を生み出しているが、市場で取引されるものではないため、今のところGDPには計上されていない。

正解 ▶ ア

問題76 産業連関表

1 ／ 2 ／ 3 ／

3つの産業からなる国の経済の産業連関表が下の表のように示されており、表の中のAからJの数値は不明である。このとき、Cに入る数値として最も適切なものはどれか。

		中間需要			最終需要	産出合計
		産業1	産業2	産業3		
中間投入	産業1	10	A	B	C	190
	産業2	D	E	60	150	310
	産業3	40	90	F	170	G
粗付加価値		120	110	190		
投入合計		H	I	J		

ア 80
イ 100
ウ 120
エ 160
オ 200

解説

スピテキLink▶　6章1節6項

POINT

各産業において、列方向の和（中間投入＋付加価値）と行方向の和（中間需要＋最終需要）は等しくなる。
付加価値の合計額と最終需要の合計額は一致する。

粗付加価値額の合計＝120＋110＋190
＝420
最終需要額の合計＝C＋150＋170
＝C＋320
「粗付加価値額の合計＝最終需要額の合計」より、
420＝C＋320
∴C＝100

正解 ▶ イ

問題77 物価

1 ／ 2 ／ 3 ／

物価に関する記述として、最も適切なものはどれか。

ア 名目利子率を所与として、期待インフレ率が上昇すると、実質利子率は低下する。

イ 消費者物価指数（CPI）は、比較時点の数量をウェイトとするパーシェ式を用いて算出される。

ウ GDPデフレータは実質GDPを名目GDPで除したものに100を乗じて算出する。

エ インフレーションにより、債務者から債権者へ実質所得が移転する。

オ デフレーションは名目額で固定された所得を得ている人々の実質所得を減少させる。

解説

スピテキLink ▶　6章2節

名目利子率と実質利子率の関係は、下記のフィッシャー方程式によって表される。
実質利子率＝名目利子率－期待インフレ率（物価上昇率）

ア　○：正しい。フィッシャー方程式より、名目利子率を所与として、期待インフレ率が上昇すると、実質利子率は低下する。

イ　×：消費者物価指数（CPI）は、基準時点の数量をウェイトとするラスパイレス式を用いて算出される。

ウ　×：GDPデフレータは名目GDPを実質GDPで除したものに100を乗じて算出する。

エ　×：インフレーションにより、債権者から債務者へ実質所得が移転する。

オ　×：デフレーションは貨幣価値が上昇するため、名目額で固定された所得を得ている人々の実質所得を増加させる。

正解 ▶ ア

問題78 物価指数

1 ／ 2 ／ 3 ／

下表は、米とクルマを生産しているある国の経済の2年間の動きを表している。第1年度を基準年、第2年度を比較年としたこの国のラスパイレス物価指数として、最も適切なものはどれか。

	第1年度		第2年度	
	生産量	価　格	生産量	価　格
米	2,500万トン	4万円/トン	4,000万トン	8万円/トン
クルマ	500万台	140万円/台	600万台	200万円/台

ア 110　　**イ** 120　　**ウ** 130　　**エ** 140　　**オ** 150

解説

スピテキLink▶　6章2節1項

ラスパイレス物価指数は基準時点（過去）の数量を基準として物価を計算する方法であり、パーシェ物価指数は比較時点（現在）の数量を基準として物価を計算する方法である。

ラスパイレス物価指数は、以下のように計算される。

物価指数

$$=\frac{\text{比較年の財}A\text{の価格}\times\text{基準年の財}A\text{の数量}+\text{比較年の財}B\text{の価格}\times\text{基準年の財}B\text{の数量}}{\text{基準年の財}A\text{の価格}\times\text{基準年の財}A\text{の数量}+\text{基準年の財}B\text{の価格}\times\text{基準年の財}B\text{の数量}}\times 100$$

本問におけるラスパイレス物価指数は、次のとおりである。

$$\text{ラスパイレス物価指数}=\frac{8\text{万円}\times 2{,}500\text{万トン}+200\text{万円}\times 500\text{万台}}{4\text{万円}\times 2{,}500\text{万トン}+140\text{万円}\times 500\text{万台}}\times 100$$

$$=150$$

正解　▶ オ

問題79　インフレーション

1 ／ 2 ／ 3 ／

インフレーション（インフレ）に関する次の文中の空欄A～Dに入る最も適切なものの組み合わせを下記の解答群から選べ。

インフレは、物価の継続的な［ A ］のことをいい、財・サービスの需要や世の中に出回る貨幣量の［ B ］によって生じる。インフレは貨幣価値を［ C ］させるため、［ D ］へ実質所得が移転する。

〔解答群〕

ア　A：下落
B：増加
C：上昇
D：債務者から債権者

イ　A：下落
B：減少
C：下落
D：債権者から債務者

ウ　A：上昇
B：増加
C：上昇
D：債務者から債権者

エ　A：上昇
B：増加
C：下落
D：債権者から債務者

オ　A：上昇
B：減少
C：下落
D：債務者から債権者

解説

スピテキLink▶　6章2節3項

インフレーションの①定義、②発生要因、③貨幣価値の変化、④債務者と債権者の関係について整理しておきたい（デフレーションの場合はそれぞれ逆の現象が生じる）。

インフレは、物価の継続的な上昇のことをいい、財・サービスの需要や世の中に出回る貨幣量の増加によって生じる。インフレは貨幣価値を下落させる。これは、額面上は同じ金額であっても購入できる財やサービスの量が少なくなることを意味する。したがって、貸し付け時（借入れ時）と比較して返済時にインフレが進行していた場合、債権者から債務者へ実質所得が移転することとなる（債権者が損をして債務者が得をする）。

6章

正解 ▶ エ

問題80 物価変動

1 ／ 2 ／ 3 ／

物価変動に関する説明として、最も適切なものはどれか。

ア ディスインフレーションとは、デフレーションからは抜け出したが、本格的なインフレーションには達していない状態のことをいう。

イ インフレーションとは、ある一時点における物価水準が高水準にあることをいう。

ウ デフレーションは、実質利子率を上昇させる効果があり、投資が抑制される。

エ リフレーションとは、不況下におけるインフレーションのことをいう。

解説

スピテキLink▶　6章2節3項

インフレーションやデフレーションと関連する用語である「ディスインフレーション」、「リフレーション」、「スタグフレーション」を押さえておきたい。

ア　×：ディスインフレーションとは、インフレーションから抜け出したが本格的なデフレーションには達していない状態のことをいう。デフレーションからは抜け出したが、本格的なインフレーションには達していない状態のことをリフレーションという。

イ　×：インフレーションとは、物価の継続的な上昇のことである。これは、異時点間における物価の比較を行うものであり、本肢の「ある一時点における」という表現は不適切となる。

ウ　○：正しい。実質利子率と名目利子率、期待インフレ率の関係は以下の式で表される。
実質利子率＝名目利子率－期待インフレ率（これをフィッシャー方程式という。）
上式より、デフレーションの状況では期待インフレ率がマイナスになることから、名目利子率を所与とした場合、実質利子率が上昇することとなる。利子率の上昇により企業の資金調達コストが上昇するため、投資（設備投資）は抑制される。

エ　×：リフレーションとは、デフレーションからは抜け出したが、本格的なインフレーションには達していない状態のことをいう。不況下におけるインフレーションはスタグフレーションとよばれる状態である。スタグフレーションは、エネルギーなどの原材料価格の上昇が製品価格に転嫁されるコストプッシュインフレによって引き起こされる。

正解　▶ ウ

問題81 景気動向指数

1 ／ 2 ／ 3 ／

景気動向指数における先行系列、一致系列、遅行系列の具体例の組み合わせとして、最も適切なものはどれか。

ア 先行系列：東証株価指数
一致系列：輸出数量指数
遅行系列：法人税収入

イ 先行系列：消費者物価指数（生鮮食品を除く総合）（前年同月比）
一致系列：実質機械受注（製造業）
遅行系列：営業利益（全産業）

ウ 先行系列：消費者物価指数（生鮮食品を除く総合）（前年同月比）
一致系列：法人税収入
遅行系列：実質機械受注（製造業）

エ 先行系列：輸出数量指数
一致系列：営業利益（全産業）
遅行系列：東証株価指数

解説

スピテキLink▶　6章3節

POINT 指標の名称や意味から「先行」「一致」「遅行」のどれに該当するかをイメージすることで、得点できるようにしたい。

ア　○：正しい。

イ　×：消費者物価指数（生鮮食品を除く総合）（前年同月比）は遅行系列、実質機械受注（製造業）は先行系列、営業利益（全産業）は一致系列である。

ウ　×：消費者物価指数（生鮮食品を除く総合）（前年同月比）と法人税収入は遅行系列、実質機械受注（製造業）は先行系列である。

エ　×：輸出数量指数は一致系列、東証株価指数は先行系列である。

正解　▶ ア

問題82　ケインズ型消費関数

1 ／　2 ／　3 ／

下図①は、Cを消費額、Yを国民所得とする消費関数$C=cY+A$を示している。また、下図②は、Sを貯蓄額、Yを国民所得とする貯蓄関数$S=(1-c)Y-A$を示している（いずれも、$0<c<1$、$A>0$とする）。以下の消費関数、貯蓄関数に関する文章中の空欄の（1）〜（4）に入る最も適切なものの組み合わせを下記の解答群から選べ。

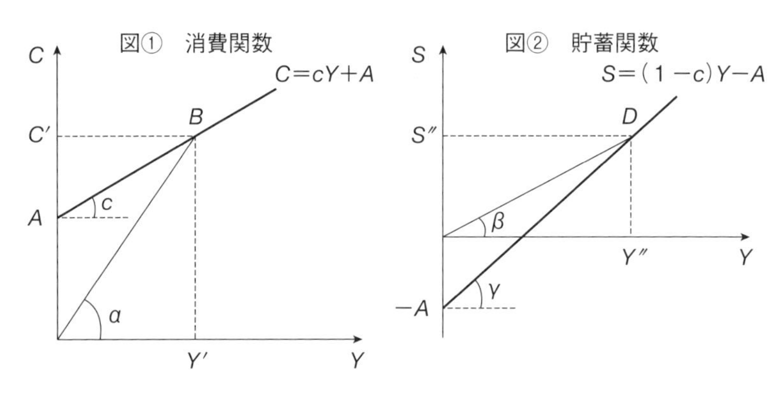

図①において消費関数$C=cY+A$上の点は、ある所得水準における消費額を示している。所得がY'、消費額がC'となる点Bから原点に向けて引いた直線の傾きαは［（1）］を示し、所得がゼロのときの消費額は［（2）］といい、Aで表されている。

図②において貯蓄関数$S=(1-c)Y-A$上の点は、ある所得水準における貯蓄額を示している。貯蓄関数の傾きγは［（3）］を示し、所得がY''、貯蓄額がS''となる点Dから原点に向けて引いた直線の傾きβは［（4）］を示している。

〔解答群〕

ア　（1）：限界消費性向　（2）：独立消費　（3）：限界貯蓄性向　（4）：平均貯蓄性向

イ　（1）：限界消費性向　（2）：平均消費性向　（3）：限界貯蓄性向　（4）：平均貯蓄性向

ウ　（1）：平均消費性向　（2）：独立消費　（3）：平均貯蓄性向　（4）：限界貯蓄性向

エ　（1）：平均消費性向　（2）：独立消費　（3）：限界貯蓄性向　（4）：平均貯蓄性向

解説

スピテキLink▶ 7章2節

POINT ケインズ型消費関数の式と、以下の用語について押さえておきたい。
「平均消費性向」「限界貯蓄性向」「平均貯蓄性向」

ケインズ型消費関数は、Cを消費額、Yを国民所得として

$C=cY+A$ （ただし、$0<c<1$、$A>0$とする）

と表される。ここで所得水準に依存せずに決まる消費部分を独立消費（または基礎消費、Aで表される）という。国民所得（Y）が1単位追加的に増加したときに増加する消費額を限界消費性向（定数cで表される）といい、図①のように表される。

また、図①の消費関数上の所得水準Y'を示す点Bから原点に引いた直線の傾きを平均消費性向といい、以下の式で表すことができる。

$$\text{平均消費性向}=\frac{\text{消費額}}{\text{国民所得}}=\frac{C}{Y}=\frac{cY+A}{Y}=c+\frac{A}{Y}$$

図① 消費関数　　図② 貯蓄関数

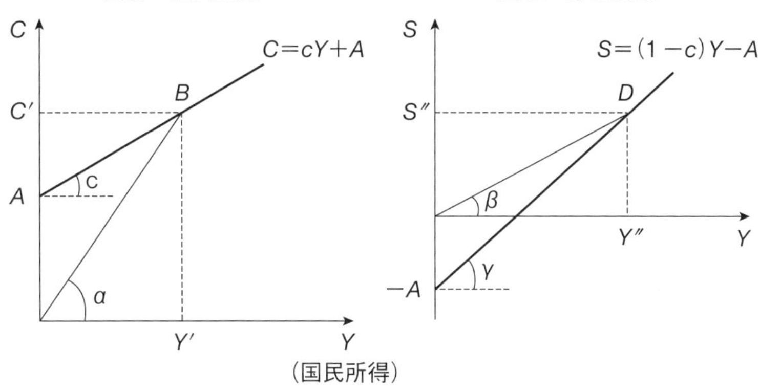

一方、貯蓄関数は、Sを貯蓄額、Yを国民所得として

$S=Y-C=(1-c)Y-A$ （ただし、$0<c<1$、$A>0$とする）

と表される。ここで貯蓄関数の傾きγ（$=1-c$）を限界貯蓄性向、貯蓄関数上の所得水準Y''を示す点Dから原点に引いた直線の傾きβを平均貯蓄性向といい、図②のように表される。したがって、

（1）：平均消費性向、（2）：独立消費、（3）：限界貯蓄性向、（4）：平均貯蓄性向となる。

正解 ▶ エ

問題83　45度線分析

1 ／ 2 ／ 3 ／

下図は、閉鎖経済における財市場の均衡を表す45度線図である。直線ADは総需要線であり、$AD=C+I+G$、消費は$C=C_0+cY$によって表されるものとする（ただし、C：消費支出、I：民間投資支出、G：政府支出、C_0：独立消費、c：限界消費性向（$0<c<1$）、Y：GDP）。

この図に関する記述として、最も適切なものを下記の解答群から選べ。

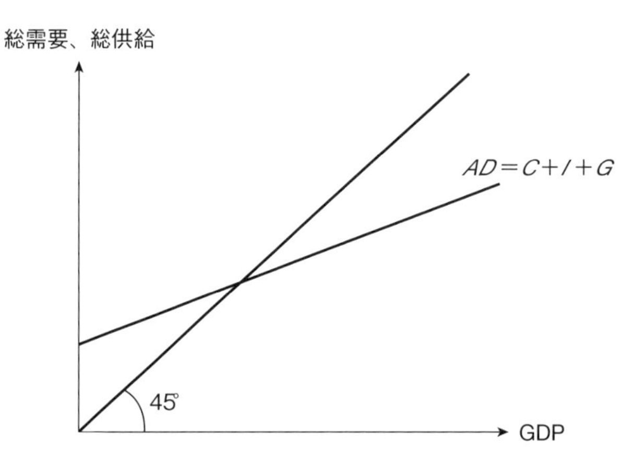

〔解答群〕

ア　限界消費性向の上昇は、総需要線の傾きを緩やかにすることを通じて、均衡GDPを増やす。

イ　限界貯蓄性向の上昇は、総需要線の下方への平行移動を通じて、均衡GDPを減らす。

ウ　民間投資支出の拡大は、総需要線の上方への平行移動を通じて、均衡GDPを増やす。

エ　政府支出の拡大は、総需要線の傾きを急にすることを通じて、均衡GDPを増やす。

解説

スピテキLink▶　7章3節

POINT

総需要を構成する要素（消費Cなど）について与えられた式を代入し、式を整理するが、Yにかかる値が総需要線の傾きを表し、定数部分が切片となる。

まずは、数式に代入して総需要線の式を求める。

$$AD=C+I+G$$

$$AD=C_0+cY+I+G \quad (C=C_0+cY\text{を代入})$$

$$AD=cY+C_0+I+G$$

これより、総需要線の傾きはc、切片がC_0+I+Gであることがわかる。c（限界消費性向）が大きくなれば、総需要線の傾きは大きく（急に）なり、C_0（独立消費）、I（民間投資支出）やG（政府支出）の拡大は切片を大きく（上方へ平行移動）することがわかる。

ア　×：限界消費性向の上昇は、総需要線の傾きを急にすることを通じて、均衡GDPを増やす。

イ　×：貯蓄は所得のうち消費されない部分であるため、限界貯蓄性向が上昇すると、限界消費性向は下降する。よって、限界貯蓄性向の上昇は、総需要線の傾きを緩やかにすることを通じて、均衡GDPを減らす。

ウ　○：正しい。

エ　×：政府支出の拡大は、総需要線の上方への平行移動を通じて、均衡GDPを増やす。

正解 ▶ ウ

問題84 乗数理論

1 ／ 2 ／ 3 ／

家計、企業、政府から構成される閉鎖経済モデルを考える。各記号は、Y：GDP、C：民間消費支出、I：民間投資支出、G：政府支出、T：租税収入を意味し、単位は兆円とする。

生産物市場の均衡条件	$Y=C+I+G$
消費関数	$C=0.8(Y-T)+25$
民間投資支出	$I=20$
政府支出	$G=15$
租税収入	$T=10$

このモデルから導かれる記述として、最も不適切なものはどれか。

ア 生産物市場が均衡しているときのGDPは260兆円である。

イ 政府支出乗数は５である。

ウ 民間投資支出を５兆円拡大すると、生産物市場が均衡しているときのGDPは25兆円増加する。

エ 均衡予算を編成したうえで政府支出を２兆円拡大すると、生産物市場が均衡しているときのGDPは10兆円増加する。

解説

スピテキLink ▶ 7章3節3項～4節

POINT
$Y=$の形に式を整理し、投資乗数や政府支出乗数を算出する。
増加する国民所得＝投資(政府支出乗数)×増加分

①乗数を求める

各乗数（政府支出乗数、投資乗数）を見るためには、与えられた式や数値のうち、Yが含まれるものを生産物市場の均衡条件（総供給＝総需要）の式に代入する。政府支出を表すGおよび投資を表すIは文字のままにしておく。

$$Y=C+I+G$$
$$Y=0.8(Y-T)+25+I+G$$
$$Y=0.8Y-0.8T+25+I+G$$
$$0.2Y=-0.8T+25+I+G$$
$$Y=\frac{1}{0.2}(-0.8T+25+I+G)$$
$$Y=5(-0.8T+25+I+G)\ \cdots\ (*)$$

②均衡GDPの算出

上記の式（＊）に、代入していない数値（民間投資支出、政府支出、租税収入）を代入する。

$$Y=5(-0.8T+25+I+G)$$
$$Y=5(-0.8\times10+25+20+15)$$
$$Y^*=260$$

ア ○：正しい。生産物市場が均衡しているときのGDPは260兆円である。

イ ○：正しい。上記の式（＊）より、政府支出乗数は5である。

ウ ○：正しい。上記の式（＊）より、投資乗数は5である。よって、5兆円拡大すると、5×5＝25兆円、GDPが増加する。

エ ×：均衡予算とは、歳入と歳出が均衡している財政をいう。政府支出を2兆円拡大した場合、租税収入も2兆円拡大することになる。上記の式（＊）から、本選択肢と関係のない25とIを除き、さらにTとGに2を代入する。

$$Y=5(-0.8\times2+2)$$
$$Y=2\text{兆円}$$

正解 ▶ エ

問題 85 乗数理論

1 ／ 2 ／ 3 ／

家計、企業、政府から構成される閉鎖経済モデルを考える。各記号は、Y：GDP、C：民間消費支出、I：民間投資支出、G：政府支出、c（$0<c<1$）：限界消費性向、T：租税収入を意味する。

生産物市場の均衡条件　$Y=C+I+G$
消費関数　$C=c(Y-T)+25$

このモデルから導かれる記述として、最も適切なものはどれか。

ア　限界消費性向が0.75から0.8に上昇すると、政府支出乗数は4から5へ上昇する。

イ　限界消費性向が0.75から0.8に上昇しても、政府支出乗数は4で一定である。

ウ　限界消費性向が0.75から0.8に上昇しても、政府支出乗数は5で一定である。

エ　限界消費性向が0.75から0.8に上昇すると、政府支出乗数は5から4へ低下する。

解説

スピテキLink ▶ 7章4節1・2項

乗数を求める計算問題の場合にも、まず財市場の均衡式に与式と数値を代入し、左辺が「$Y=$」となるように整理する。

cのまま式を変形し、変形して導出した乗数に$c=0.75$および$c=0.8$を代入するほうが短時間で導出できる。

$$Y=C+I+G$$
$$Y=c(Y-T)+25+I+G$$
$$Y=cY-cT+25+I+G$$
$$Y-cY=-cT+25+I+G$$
$$(1-c)Y=-cT+25+I+G$$
$$Y=\frac{1}{1-c}(-cT+25+I+G)$$

よって、政府支出乗数は$\frac{1}{1-c}$である。

$c=0.75$を代入すると、$\frac{1}{1-0.75}=\frac{1}{0.25}=4$

$c=0.8$を代入すると、$\frac{1}{1-0.8}=\frac{1}{0.2}=5$

以上のことから、限界消費性向が0.75から0.8に増加すると、政府支出乗数は4から5へ上昇することがわかる。

正解 ▶ ア

問題86 需給ギャップ

1 ／ 2 ／ 3 ／

下図は、均衡国民所得と完全雇用国民所得との関係を示したものであり、完全雇用国民所得はY_Fで示されている。この図に基づく均衡国民所得と完全雇用所得に関する説明として最も不適切なものはどれか。

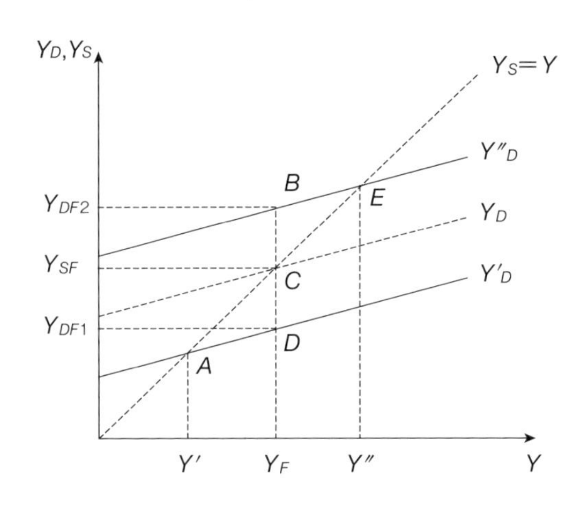

ア 曲線Y_S（45度線）と曲線Y'_DとがA点で交わるときの均衡国民所得Y'は完全雇用国民所得より少なく、このような場合、労働市場では非自発的失業が存在する。

イ 曲線Y_Sと曲線Y'_DとがA点で交わるとき、完全雇用国民所得を実現するのに不足している総需要の額は、デフレギャップといい、CDの長さで表される。

ウ デフレギャップが生じている場合、総需要管理政策を用いることで完全雇用を実現することができる。

エ 曲線Y_Sと曲線Y''_DとがE点で交わるときの均衡国民所得Y''は完全雇用国民所得より大きく、完全雇用国民所得を超える国民所得が実現する。

オ 曲線Y_Sと曲線Y''_DとがE点で交わるとき、超過需要が存在し、インフレ圧力が働く。完全雇用国民所得における総需要と国民所得の差をインフレギャップといい、BCの長さで表される。

解説

スピテキLink▶ 7章5節

POINT 以下の用語について押さえておきたい。
「均衡国民所得」、「完全雇用国民所得」、「デフレギャップ」、「インフレギャップ」

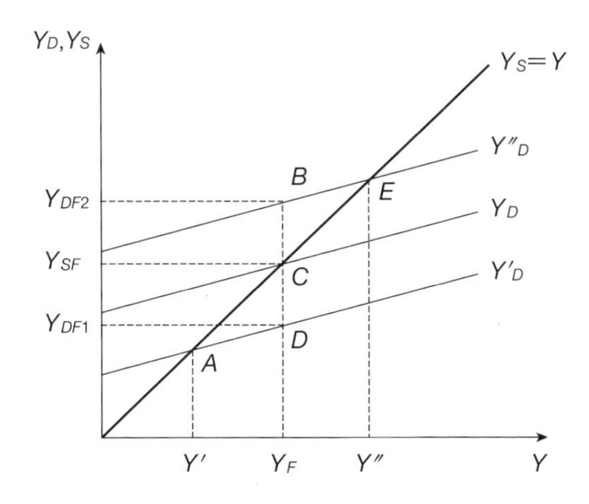

ア ○：正しい。Y_S曲線（45度線）とY'_D曲線とがA点で交わるときの均衡国民所得Y'は完全雇用国民所得より少なく、このような場合、労働市場では非自発的失業が存在する。

イ ○：正しい。Y_S曲線とY'_D曲線とがA点で交わるとき、完全雇用国民所得を実現するのに不足している総需要の額は、デフレギャップといい、CDの長さで表される。

ウ ○：正しい。デフレギャップが生じている場合、デフレギャップを解消するように政府支出の増加や減税など総需要を拡大させる政策を発動することによって、所得の増加と失業の解消が達成される。

エ ×：Y_S曲線とY''_D曲線とがE点で交わるときの均衡国民所得Y''は完全雇用国民所得より大きくなるが、国民所得は完全雇用国民所得を超えることができないため、実現するのは完全雇用国民所得である。

オ ○：正しい。Y_S曲線とY''_D曲線とがE点で交わるとき、超過需要が存在し、インフレ圧力が働く。総需要と国民所得の差をインフレギャップといい、BCの長さで表される。

正解 ▶ エ

7章

問題87 需給ギャップ

1 ／ 2 ／ 3 ／

閉鎖経済において以下の条件が成り立っているとする。

$Y = C + I + G$
$C = 0.8Y + 10$
$I = 30$
$G = 20$
$Y_F = 400$

Y：国民所得	C：消費	I：投資
G：政府支出	Y_F：完全雇用国民所得	

この条件下のとき、インフレギャップ、デフレギャップとその対策に関する説明として最も適切なものはどれか。

ア インフレギャップが発生しており、そのインフレギャップを解消するために、政府支出を20削減すべきである。

イ インフレギャップが発生しており、そのインフレギャップを解消するために、政府支出を５削減すべきである。

ウ デフレギャップが発生しており、そのデフレギャップを解消するために、政府支出を20拡大すべきである。

エ デフレギャップが発生しており、そのデフレギャップを解消するために、政府支出を50拡大すべきである。

解説

スピテキLink ▶　7章5節

財市場の均等式に与えられた消費関数や数値を代入して、総需要の式を求める。それを利用して、完全雇用国民所得下の総需要を求め、総需要と総供給のギャップを認識する。

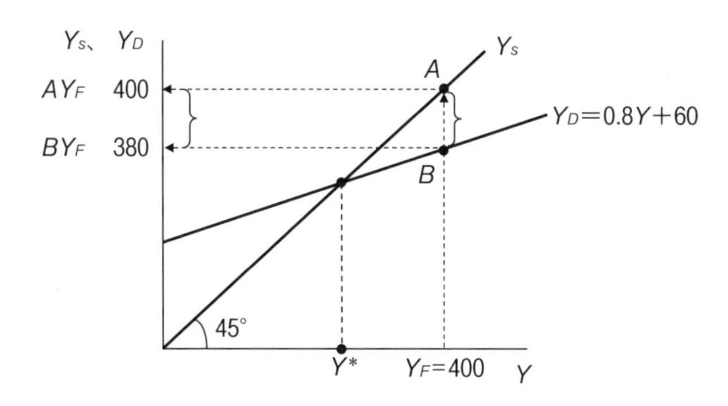

$Y=C+I+G$に与えられた式および数値を代入し計算を行う。

$Y_D=C+I+G$

$Y_D=0.8Y+10+30+20$

$Y_D=0.8Y+60$

となり、この式に$Y=Y_F=400$を代入すると、

$Y_D=0.8\times400+60$

$=380$

総需要（Y_D）＜総供給（Y_S）で、総需要と総供給の差（AB）は$400-380=20$となるため、政府支出を20拡大してデフレギャップを解消することになる。

正解 ▶ ウ

問題88 総需要管理政策

1 ／ 2 ／ 3 ／

乗数理論および財政政策に関する説明として、最も適切なものはどれか。

ア 限界消費性向が大きいほど、投資乗数は小さくなる。

イ 乗数理論によれば、租税乗数の絶対値は投資乗数よりも大きい。

ウ 均衡国民所得が完全雇用国民所得よりも小さい場合にはデフレギャップが生じ、拡張的な財政政策を行うことで完全雇用を実現することが求められる。

エ 定額税は景気変動に対するビルトインスタビライザーとして機能する。

解説

スピテキLink▶　７章３・４節

POINT

- 「投資乗数」と「政府支出乗数」の値は同じである。「租税乗数」の絶対値は、「投資乗数」や「政府支出乗数」の絶対値よりも小さくなる。
- 「デフレギャップ」：総供給＞総需要、均衡国民所得＜完全雇用国民所得、拡張的な総需要管理政策　⇒　総需要の増加で完全雇用国民所得を実現する。
- 「インフレギャップ」：総供給＜総需要、均衡国民所得＞完全雇用国民所得、政府支出を減少させるなどの政策　⇒　総需要の減少で財市場と労働市場の均衡を実現する。

ア　×：限界消費性向が大きいほど、投資後の派生消費の伸びが大きくなる。つまり投資乗数は大きくなる。

イ　×：乗数理論によれば、投資乗数（＝政府支出乗数）のほうが租税乗数の絶対値よりも大きい。

ウ　○：正しい。本肢の前半の記述は上記POINTの解説のとおりである。デフレギャップが生じている場合、拡張的財政政策によって需要を増やすことで完全雇用を実現することができる。

エ　×：景気変動に対するビルトインスタビライザーとして機能するのは、累進課税である。

正解 ▶ ウ

問題 89 IS曲線

1 ／ 2 ／ 3 ／

IS曲線に関する説明として、最も適切なものはどれか。

ア IS曲線は生産物市場が均衡する国民所得と利子率の関係を示しており、その形状は右上がりとなる。

イ IS曲線では需要項目の投資に着目しており、利子率が上昇すると投資が増加すると考える。

ウ IS曲線の上側は超過需要の状態である。

エ 減税が行われると、IS曲線は右シフトする。

解説

スピテキLink▶ 7章6節2項

IS曲線は生産物市場が均衡する国民所得と利子率の関係を示したものであり、縦軸に利子率、横軸に国民所得をとった右下がりの直線で表される。

ア ×：「利子率（縦軸）の低下→投資（需要項目）の増加→総需要の増加→総供給および均衡国民所得（横軸）の増加」という因果関係より、IS曲線は右下がりの形状となる。

イ ×：企業の設備投資においては金融機関からの資金借入れを伴う場合が多く、利子率が低下すると借入れが行いやすくなるため、投資が増加する。

ウ ×：IS曲線の上側は超過供給の状態である。

エ ○：正しい。IS曲線は、拡張的財政政策（政府支出の増加、減税）により右シフトする。

正解 ▶ エ

問題 90 IS曲線

1 ／ 2 ／ 3 ／

IS曲線に関する説明として、最も不適切なものはどれか。

ア 投資の利子率弾力性が大きい場合、IS曲線は緩やかになる。

イ 限界消費性向が大きい場合、IS曲線は緩やかになる。

ウ 限界貯蓄性向が大きい場合、IS曲線は緩やかになる。

エ 投資の利子率弾力性がゼロの場合、IS曲線は垂直に描かれる。

解説

スピテキLink▶　7章6節2項

POINT
投資の利子率弾力性が大、限界消費性向が大　→　IS曲線は緩やかになる
投資の利子率弾力性が小、限界消費性向が小　→　IS曲線は急になる

ア　○：正しい。「投資の利子率弾力性が大きい」とは、利子率（縦軸）の低下に伴い投資が大きく増えるということである。投資の増加幅が大きいほど総需要は拡大し、均衡国民所得はより大きく増加する。

イ　○：正しい。限界消費性向とは、消費関数$C = cY + C_0$のｃであり、所得のうちどれだけ消費に使うかという割合を示すものである。投資が増えれば国民所得Ｙも増加するが、このときｃの値が大きいほど消費Ｃ（需要項目）は大きく増加し、さらに大きな国民所得の増加をもたらす（派生消費が大きくなる）。

ウ　×：限界貯蓄性向は（１－ｃ）で表される。この値が大きいということは、ｃの値（限界消費性向）が小さいということになり、派生消費が小さいことを表す。この場合、国民所得の増加幅は小さくなるため、IS曲線は急になる。

エ　○：正しい。投資の利子率弾力性がゼロということはきわめて小さいことを表す。この場合、傾きは急の極限である垂直となる。

正解　▶ウ

問題 91 IS曲線

1 ／ 2 ／ 3 ／

下図は、IS曲線とLM曲線を描いたものである。*IS*曲線に関する記述の正誤の組み合わせとして、最も適切なものを下記の解答群から選べ。

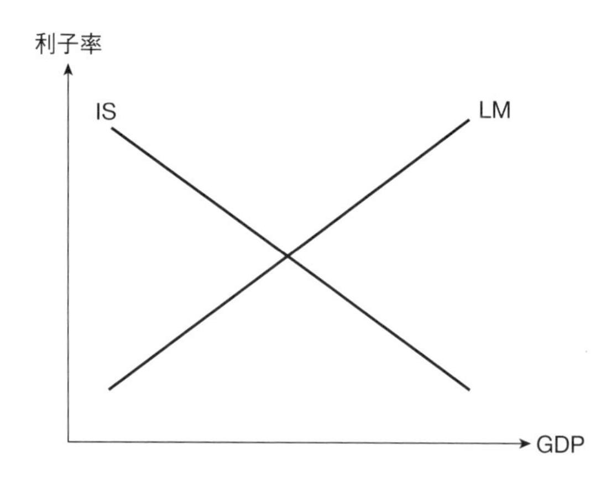

a IS曲線の下側の領域において財市場は超過需要となっている。

b 貨幣需要の利子率弾力性が大きいほど、IS曲線の傾きは緩やかになる。

c 政府支出を拡大させると、IS曲線は右方へシフトする。

〔解答群〕

ア a：正　b：正　c：正

イ a：正　b：正　c：誤

ウ a：正　b：誤　c：正

エ a：誤　b：誤　c：正

オ a：誤　b：誤　c：誤

解説

スピテキLink ▶ 7章6節2項

POINT
IS曲線の下側：超過需要
IS曲線の傾き：投資の利子率弾力性、限界消費性向が大きいほうが緩やか
IS曲線のシフト：拡張的財政政策により右シフト

a ○：正しい。IS曲線上の点は総需要と総供給が一致している。利子率が低下すると投資が増加し、総需要が増加するため、IS曲線の下側の領域は超過需要となる。

b ×：限界消費性向や投資の利子率弾力性が大きいほど、IS曲線の傾きは緩やかになる。

c ○：正しい。拡張的財政政策によりIS曲線は右方へシフトする。

正解 ▶ ウ

問題 92　金融政策

1 ／　2 ／　3 ／

貨幣供給および日本銀行の金融政策に関する記述として、最も適切なものはどれか。

ア　マネーストックとは、一般法人、個人、地方公共団体などの通貨保有主体が保有する現金通貨の残高を集計している。

イ　マネタリーベースとは、日本銀行券発行高（紙幣）と貨幣流通高（硬貨）の合計から、日本銀行当座預金額を引いた値である。

ウ　イールドカーブ・コントロールとは、日銀当座預金口座内に金融機関が保有する預金の一部にマイナス0.1％の金利を適用するものである。

エ　日本銀行の量的・質的金融緩和の買い入れ対象は国債に限定されており、上場投資信託などのリスク資産は対象外である。

オ　インフレ・ターゲティングとは、物価上昇率に対して政府・中央銀行が一定の範囲の目標を定め、それに収まるように金融政策を行うことである。

解説

スピテキLink▶ 8章1節

POINT マネタリーベース（ハイパワードマネー）とマネーサプライ（マネーストック）の定義をしっかり押さえておきたい。

ア ×：マネーストックとは、一般法人、個人、地方公共団体などの通貨保有主体（金融機関・中央政府を除いた経済主体）が保有する通貨（現金通貨だけでなく預金通貨なども含む）の残高を集計している。

イ ×：マネタリーベースとは、基本的には「日本銀行が世の中に直接的に供給するお金」のことである。具体的には、市中に出回っているお金である流通現金（「日本銀行券発行高（紙幣）」＋「貨幣流通高（硬貨）」）と日本銀行当座預金の合計値である。

ウ ×：イールドカーブ・コントロールとは、10年物国債の金利がおおむねゼロ%程度で推移するように買入れを行うことで短期から長期までの金利全体の動きをコントロールすることである。日銀当座預金口座内に金融機関が保有する預金の一部にマイナス0.1%の金利を適用するものは、マイナス金利政策である。

エ ×：2013年４月から開始された日本銀行の量的・質的金融緩和とは、日本銀行が買い入れる金融資産の拡大によりマネタリーベースを大幅に増やし（量的金融緩和）、長期国債やETF（上場投資信託）、J－REIT（不動産投資信託）などのリスク資産まで買入対象を拡大する（質的金融緩和）というものである（もっとも買い入れ対象はほとんど国債ではある）。

オ ○：正しい。インフレ・ターゲティングとは、本来、物価上昇率（インフレ率）に対して政府・中央銀行が一定の範囲の目標を定め、それに収まるように金融政策を行うことを指す用語である。しかしながらデフレ期（あるいはデフレに陥る危険性がある場合）において、物価上昇率目標を定め、その安定的な実現に向けて経済政策を行うという意味合いで用いられる。

正解 ▶ オ

問題93 貨幣

1 ／ 2 ／ 3 ／

貨幣および金融政策に関する記述の正誤の組み合わせとして、最も適切なものを下記の解答群から選べ。

a 預金取扱機関の保有現金はマネーサプライに含まれる。

b 準備率が高いほど貨幣乗数は小さくなる。

c 現金預金比率が高いほど貨幣乗数は大きくなる。

〔解答群〕

ア	a：正	b：正	c：正
イ	a：正	b：正	c：誤
ウ	a：正	b：誤	c：正
エ	a：誤	b：正	c：正
オ	a：誤	b：正	c：誤

解説

スピテキLink▶ 8章1節

POINT マネタリーベースとマネーサプライ（マネーストック）
マネタリーベース：日本銀行が世の中に直接的に供給する通貨のこと

> マネタリーベース＝日本銀行券発行高＋貨幣流通高＋日銀当座預金
> ※「日本銀行券」：紙幣、「貨幣」：硬貨

マネーサプライ：金融部門から経済全体に供給されている通貨の総量

> マネーサプライ＝流通現金＋預金
> ※ここでの流通現金には金融部門の保有分は含まない。

貨幣乗数（信用乗数）：マネーサプライがマネタリーベースの何倍になるかを表した数値

> マネーサプライ＝$\frac{c+1}{c+r}$×マネタリーベース
> ※c＝現金預金比率、r＝準備率

準備率が小さいと貨幣乗数は大きくなる。また、現金預金比率が小さいと貨幣乗数は大きくなる（市中銀行が貸出しに回せる金額が大きくなるため）。

貨幣数量式：$MV=PY$（M：貨幣供給量、V：貨幣の流通速度、Y：実質国民所得、P：物価水準）
→拡張的金融政策（マネーサプライの増加）は物価水準（あるいは名目国民所得PY）を比例的に上昇させる（実質国民所得は増加しない）。

a ×：預金取扱機関の保有現金はマネーサプライには含まれない（流通現金には金融部門の保有分は含まない。）。

b ○：正しい。

c ×：現金預金比率が高いほど市中銀行が貸出しに回せる金額が小さくなるため、貨幣乗数は小さくなる。

正解 ▶ オ

問題94 LM曲線

1／ 2／ 3／

貨幣市場を均衡させる国民所得と利子率の関係を描いたものをLM曲線というが、その特徴に関する記述として、最も適切なものの組み合わせを下記の解答群から選べ。

a LM曲線より上方の領域では、貨幣市場は超過需要の状態にある。
b 物価水準の上昇は、LM曲線を右方向にシフトさせる。
c 名目貨幣供給量の増加は、LM曲線を右方向にシフトさせる。
d 貨幣需要の利子率弾力性が大きいほど、LM曲線の傾きは緩やかになる。

〔解答群〕

ア aとb　**イ** aとd　**ウ** bとc　**エ** bとd　**オ** cとd

解説

スピテキLink▶ 8章3節

POINT

・LM曲線とは、貨幣市場を均衡させる利子率と国民所得の組み合わせを描いたものである。

・LM曲線の上側は貨幣市場の超過供給であり、下側は超過需要である。

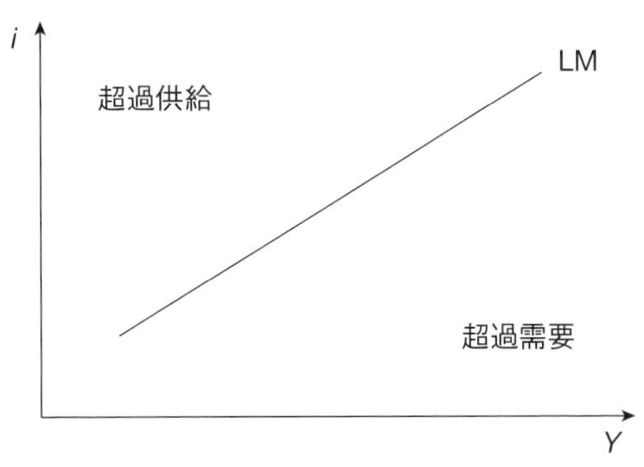

・「貨幣需要の利子率弾力性」が大きい場合、LM曲線の傾きは緩やかになる。
※逆の場合はLM曲線の傾きは急になる。

・「名目貨幣供給量」の増加あるいは「物価水準」の下落により、「実質貨幣供給量」が増加した場合、LM曲線は右側にシフトする。
※逆の場合、LM曲線は左側にシフトする。

a ×：LM曲線より上方の領域では、貨幣市場は超過供給の状態にある。
b ×：物価水準の上昇は、LM曲線を左方向にシフトさせる。
c ○：正しい。
d ○：正しい。

正解 ▶ オ

問題95 LM曲線

1 ／ 2 ／ 3 ／

LM曲線を右側にシフトさせる要因として、最も適切なものはどれか。

ア 物価水準の下落
イ 中央銀行による売りオペレーションの実施
ウ 公共投資の増加
エ 債券利子率の上昇

解説

スピテキLink ▶ 8章3節

LM曲線とは貨幣市場を均衡させる国民所得と利子率の組み合わせを描いたものである。貨幣需要曲線の性質より、LM曲線は右上がりとなる。また、実質貨幣供給量が増大するとLM曲線は右側にシフトする。

ア　○：正しい。物価水準が下落することで実質貨幣供給が増加するため、LM曲線は右側にシフトする。

イ　×：中央銀行による売りオペレーションの実施は、ハイパワードマネー（マネーサプライ）の減少を生じさせる。よって、LM曲線は左側にシフトする。

ウ　×：公共投資の増加はIS曲線を右側にシフトさせるが、貨幣市場を扱うLM曲線はシフトしない。

エ　×：債券利子率が上昇すると貨幣市場を均衡させる国民所得が増加する。つまり同一LM曲線上の話であって、LM曲線がシフトするわけではない。

正解 ▶ ア

8章

問題 96　LM曲線

1 ／　2 ／　3 ／

LM曲線に関連する記述として、最も適切なものはどれか。

ア　LM曲線は、利子率と実質貨幣供給量の関係を描いた曲線であるため、実質貨幣需要量には依存しない性質をもつ。

イ　LM曲線が右上がりの曲線を描くのは、国民所得が大きくなるほど取引需要による実質貨幣需要が増大し、その結果、貨幣市場は超過供給の状態になり利子率が上昇するためである。

ウ　実質貨幣供給曲線は、名目貨幣供給量を物価水準で割り引いた実質貨幣供給量と利子率との関係を表した曲線であるが、名目貨幣供給量は利子率に依存せず金融政策に応じて変動するために、縦軸に利子率、横軸に実質貨幣供給量をとった平面上では水平の直線を描く。

エ　貨幣市場を均衡させる国民所得と利子率の組み合わせを描いた曲線をLM曲線というが、同じLM曲線上のどの点においても実質貨幣供給量は同じである。

解説

スピテキLink▶　8章3節

POINT LM曲線＝貨幣市場を均衡させるような国民所得と利子率の組み合わせを描いた曲線

●形状が右上がりとなるプロセス

国民所得が増加⇒貨幣の取引需要が増加⇒貨幣の超過需要⇒利子率の上昇

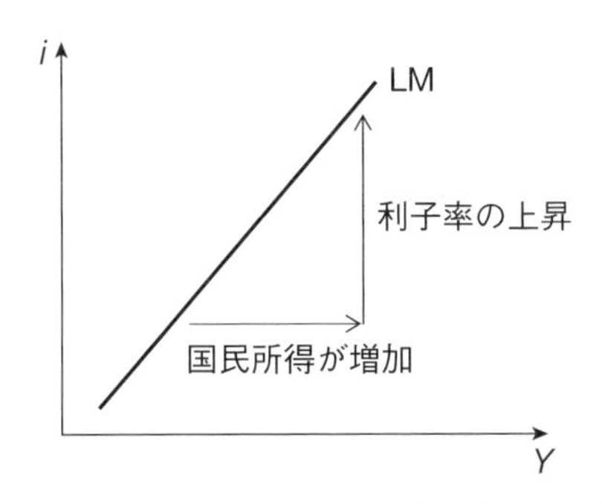

ア　×：LM曲線は利子率と国民所得の関係を描いた曲線である。

イ　×：国民所得が大きくなるほど取引需要による実質貨幣需要が増大するのは正しい。しかし、その結果、貨幣市場は超過需要になる。

ウ　×：名目貨幣供給量は利子率に依存しないので、縦軸に利子率、横軸に実質貨幣供給量をとった平面上では垂直の直線を描く。

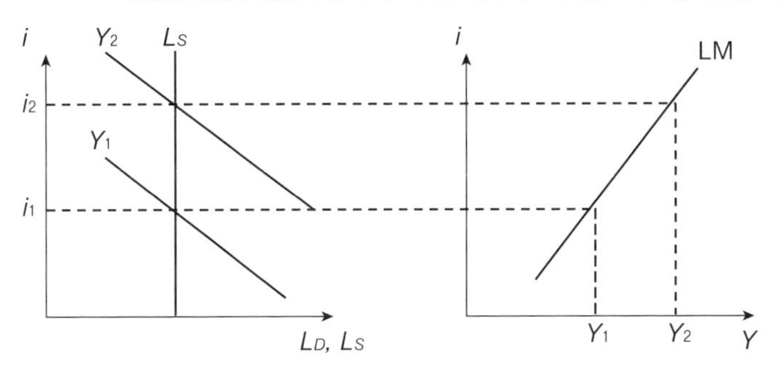

エ　○：正しい。選択肢ウにあるように、LM曲線上ではどの点においても実質貨幣供給量は同じである。また、実質貨幣供給量が変化することにより、LM曲線はシフトすることになる。

正解 ▶ エ

問題97 LM曲線

1 ／ 2 ／ 3 ／

下図は、IS曲線とLM曲線を描いたものである。LM曲線に関する記述の正誤の組み合わせとして、最も適切なものを下記の解答群から選べ。

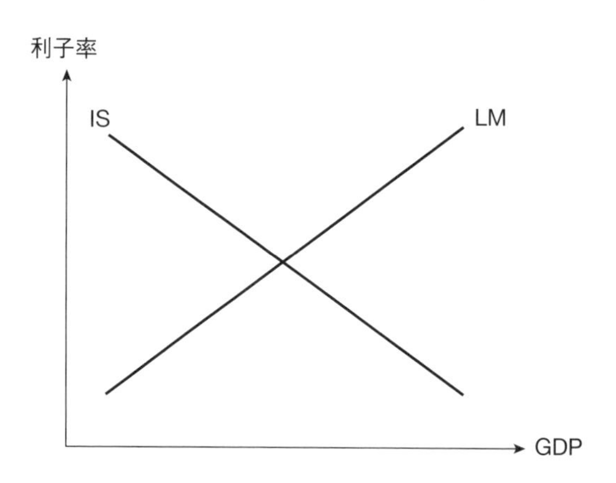

a LM曲線の下側の領域において貨幣市場は超過供給となっている。

b 貨幣需要の利子率弾力性が大きいほど、LM曲線の傾きは急になる。

c 流動性のわなが生じている状態においてLM曲線は垂直に描かれる。

〔解答群〕

ア a：正 b：正 c：正

イ a：正 b：正 c：誤

ウ a：正 b：誤 c：正

エ a：誤 b：誤 c：正

オ a：誤 b：誤 c：誤

解説

スピテキLink▶　8章3節

貨幣市場の利子率弾力性が高い→LM曲線の傾きは緩やかになる
貨幣市場の所得弾力性が高い→LM曲線の傾きは急になる
流動性のわな＝貨幣市場の利子率弾力性が無限大→LM曲線は水平

a　×：LM曲線の下側の領域において貨幣市場は超過需要となっている。LM曲線上の点は総需要と総供給が一致している。GDPが増加すると貨幣の取引需要が増加するため、LM曲線の下側の領域は超過需要となる。

＜超過需要・超過供給のまとめ＞

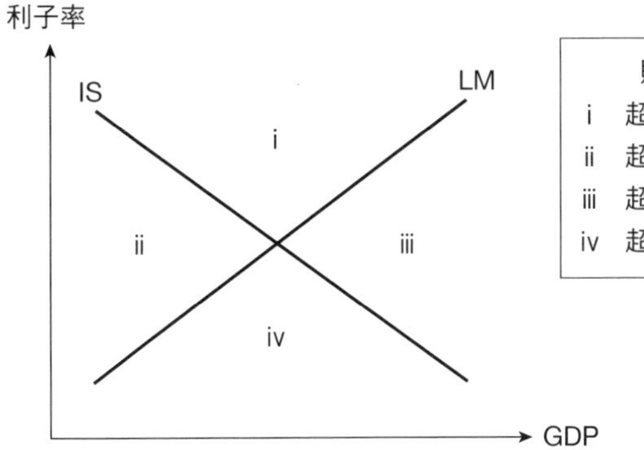

	財市場	貨幣市場
i	超過供給	超過供給
ii	超過需要	超過供給
iii	超過供給	超過需要
iv	超過需要	超過需要

b　×：貨幣需要の利子率弾力性が大きいほど、LM曲線の傾きは緩やかになる。

c　×：流動性のわなは貨幣需要の利子率弾力性が無限大の状態であり、流動性のわなが生じている状態においてLM曲線は水平に描かれる。

正解　▶ オ

問題98 IS－LM分析

1 ／ 2 ／ 3 ／

文中の空欄Aから空欄Dに入る最も適切なものの組み合わせを下記の解答群から選べ。

投資の利子率弾力性がゼロのとき、拡張的な財政政策を行った場合、［ A ］ので、国民所得は［ B ］。

一方、貨幣需要の利子率弾力性がゼロのとき、拡張的な財政政策を行った場合、［ C ］ので、国民所得は［ D ］。

〔解答群〕

ア A：100％クラウディングアウトが起こる　B：増加しない
　C：クラウディングアウトが起こらない　D：増加する

イ A：100％クラウディングアウトが起こる　B：増加する
　C：クラウディングアウトが起こらない　D：増加しない

ウ A：クラウディングアウトが起こらない　B：増加する
　C：100％クラウディングアウトが起こる　D：増加しない

エ A：クラウディングアウトが起こらない　B：増加しない
　C：100％クラウディングアウトが起こる　D：増加する

解説

スピテキLink▶ 8章4節

IS曲線、LM曲線を描き、IS曲線をシフトすることで判断する。

●投資の利子率弾力性がゼロのとき、IS曲線は垂直になる。このとき、拡張的財政政策を行うとIS曲線が右シフトし、国民所得は増加する。これは投資の利子率弾力性がゼロであるので、利子率が上昇しても投資が抑制されないからである。なお、利子率は上昇するが投資は抑制されないためクラウディングアウトは生じない（IS曲線のシフト幅分、国民所得は増加する）。

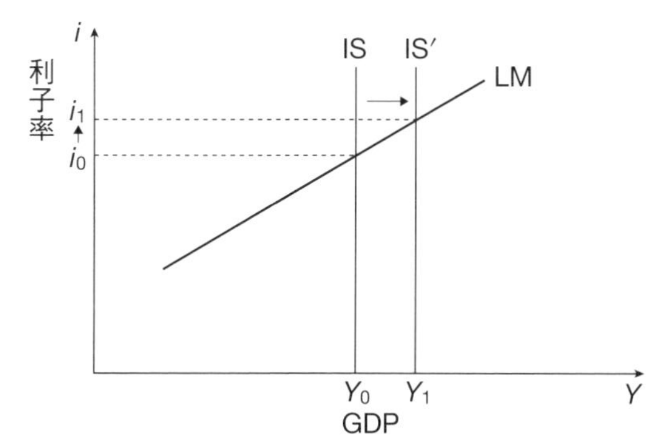

●貨幣需要の利子率弾力性がゼロのとき、LM曲線は垂直になる。このとき、拡張的財政政策によってIS曲線が右シフトしても、100％クラウディングアウト（利子率上昇により国民所得がまったく増加しない）が起こり、国民所得は増加しない。

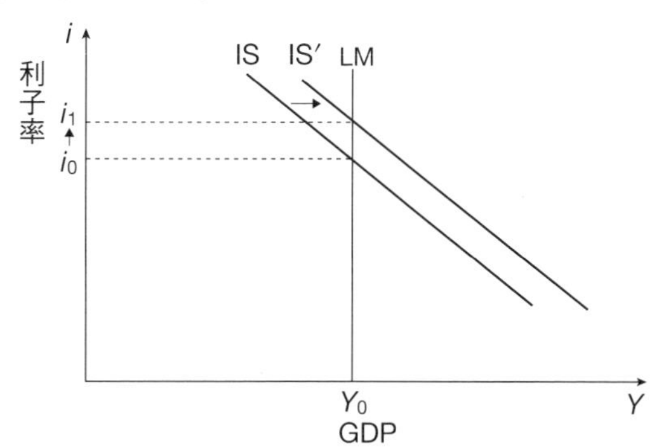

正解 ▶ ウ

問題 99 IS－LM分析

1 ／ 2 ／ 3 ／

IS曲線とLM曲線が下図のように与えられるものとする。この経済において、有効需要創出効果が最も期待できる経済政策の組み合わせを下記の解答群から選べ。

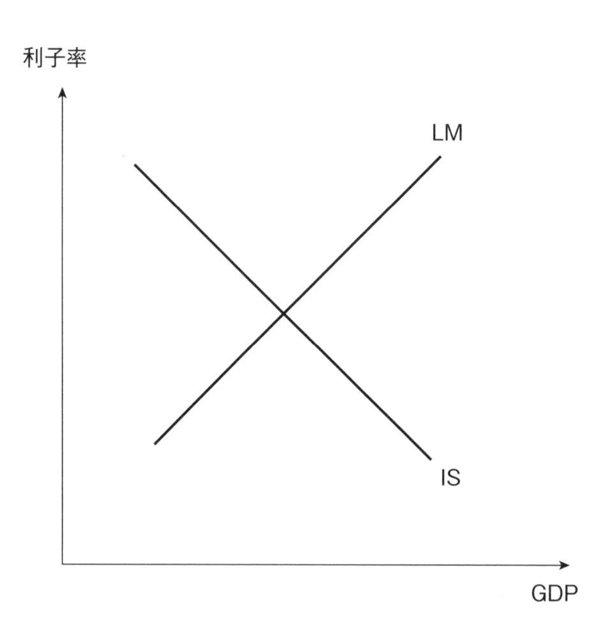

〔解答群〕

ア	政府：政府支出の増加	中央銀行：買いオペレーション
イ	政府：政府支出の減少	中央銀行：政策金利の引き上げ
ウ	政府：減税	中央銀行：売りオペレーション
エ	政府：増税	中央銀行：政策金利の引き下げ

解説

スピテキLink▶ 8章4節

拡張的財政政策の例
・政府支出の拡大
・減税

拡張的金融政策の例
・買いオペレーション
・政策金利の引き下げ

政府支出の増加や減税による拡張的財政政策（IS曲線は右側にシフト）による利子率の上昇（その結果としてのクラウディングアウト）を抑えることができれば、十分な有効需要の創出効果が生まれる。つまり、拡張的財政政策と同時に買いオペによる拡張的金融政策を行ってLM曲線を右側にシフトさせればよいことになる（貨幣供給量の増加は利子率を低下させる）。なお、政策金利の引き下げも拡張的金融政策と同じ効果をもつ。

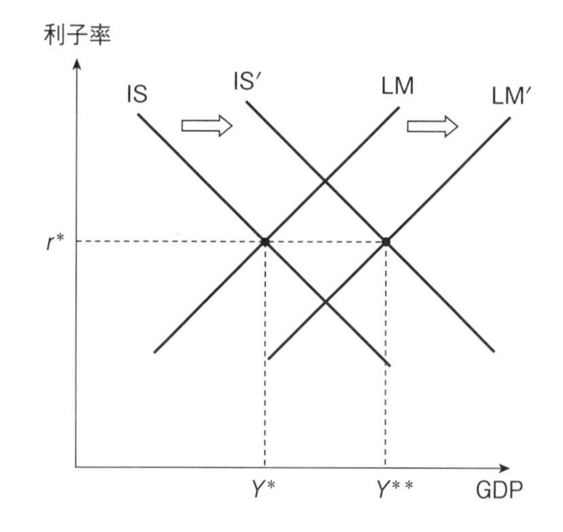

正解 ▶ ア

問題100 IS－LM分析

1／ 2／ 3／

次のグラフで示されるようなIS曲線およびLM曲線のシフトに関する記述のうち、最も適切なものはどれか。

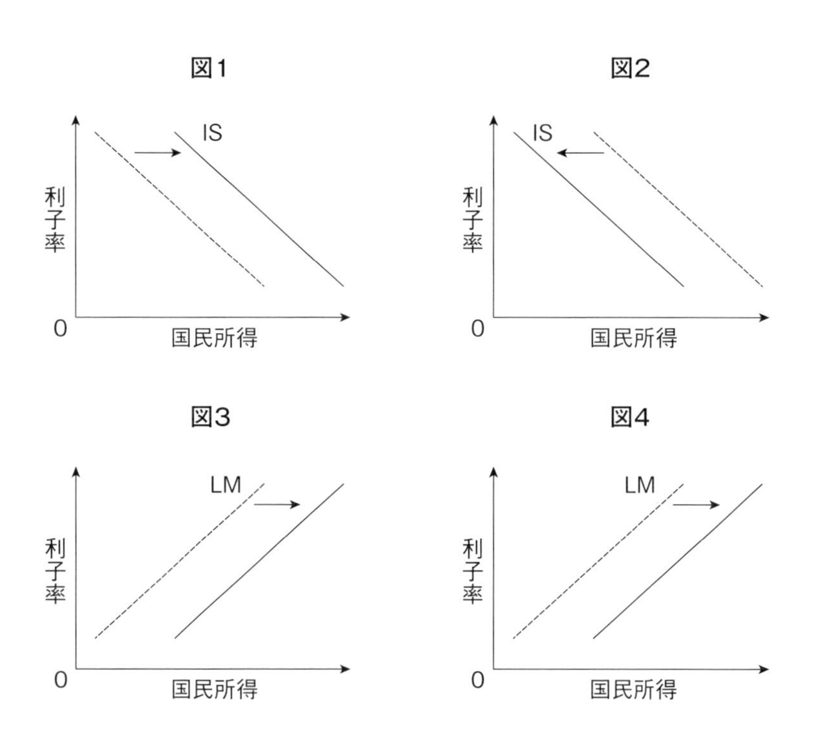

ア 租税の増加によって、図１のようにIS曲線は右へシフトする。

イ 物価水準の低下によって、図２のようにIS曲線は左へシフトする。

ウ 政府支出を増加させると、図３のようにLM曲線は右へシフトする。

エ マネーサプライを増大させると、図４のようにLM曲線は右へシフトする。

解説

スピテキLink▶ 7章6節2項、8章3・4節

IS曲線、LM曲線について、「傾き」、「シフト」、「上側・下側の領域」に関する論点を押さえておきたい。

ア ×：租税を増加させたとき、国民所得は減少するため、IS曲線は左へシフトする。

イ ×：物価水準の変動によってシフトするのはLM曲線である。

ウ ×：政府支出の変動によってシフトするのはIS曲線である。

エ ○：正しい。マネーサプライを増大させるとLM曲線は右へシフトする。

正解 ▶ エ

問題101 IS－LM分析

1 ／ 2 ／ 3 ／

IS曲線およびLM曲線に関する記述の正誤の組み合わせとして、最も適切なものを下記の解答群から選べ。

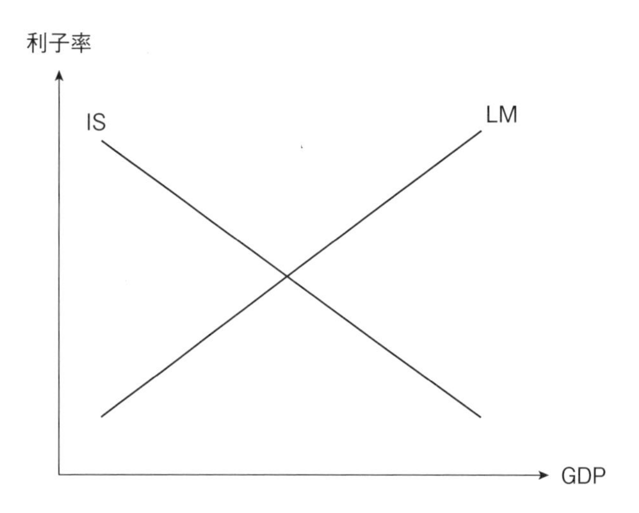

a IS曲線の下側の領域では、貨幣市場は超過需要となる。

b 投資の利子率弾力性が大きいほど、IS曲線の傾きはより緩やかになる。

c 流動性のわなは貨幣需要の利子率弾力性が無限大であるため、LM曲線は水平に描かれる。

〔解答群〕

ア a：正 b：正 c：正

イ a：正 b：正 c：誤

ウ a：正 b：誤 c：正

エ a：誤 b：正 c：正

オ a：誤 b：誤 c：正

解説

スピテキLink ▶ 7章6節、8章3節

●IS曲線

・定義：財市場（生産物市場）が均衡する（総需要と総供給が一致する）国民所得（GDP）と利子率の組合せを描いた曲線

・傾き

限界消費性向、投資の利子率弾力性が大⇒傾きは緩やか

●LM曲線

・定義：貨幣市場が均衡する（総需要と総供給が一致する）国民所得（GDP）と利子率の組合せを描いた曲線

・傾き

貨幣需要の利子率弾力性が大⇒傾きは緩やか

※LM曲線が水平⇒流動性のわな＝貨幣需要の利子率弾力性が無限大の状況

・シフト

拡張的財政政策（政府支出の増加、減税等）⇒IS曲線は右シフト

拡張的金融政策（買いオペ等）⇒LM曲線は右シフト

a ×：IS曲線の下側の領域では、財市場（生産物市場）は超過需要となる。

<超過需要・超過供給のまとめ>

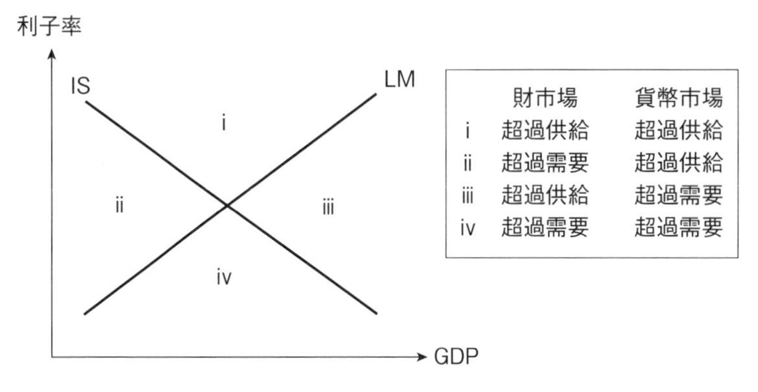

	財市場	貨幣市場
i	超過供給	超過供給
ii	超過需要	超過供給
iii	超過供給	超過需要
iv	超過需要	超過需要

b ○：正しい。

c ○：正しい。

正解 ▶ エ

問題102 IS－LM分析

1 ／ 2 ／ 3 ／

拡張的な金融政策に関する記述として、最も適切なものの組み合わせを下記の解答群から選べ。

a　流動性のわなの状況下では貨幣供給量が増加すると利子率が大幅に低下してしまうため、金融政策は無効である。

b　投資の利子弾力性が大きいほど、金融政策の効果は強まる。

c　限界消費性向が大きいほど、金融政策の効果は弱まる。

d　貨幣の投機的需要が利子率に対して感応的であるほど、金融政策の効果は弱まる。

〔解答群〕

ア　aとb　**イ**　aとc　**ウ**　aとd　**エ**　bとc　**オ**　bとd

解説

スピテキLink▶　8章4節

IS曲線の傾きが緩やか（小さい）➡金融政策の効果が大きい。
流動性のわな➡金融政策は無効。

a ×：流動性のわなのもとでは金融政策は無効であるという記述は正しい。しかし、その理由は、貨幣供給量の増加が利子率をまったく低下させないために投資が刺激されないことによるものである。よって、誤りとなる。

b ○：正しい。投資の利子弾力性が大きいほど、利子率の低下に伴い投資が大きく増加するため、金融政策の効果は強まる。IS曲線が水平の場合をイメージすればよい。

c ×：金融政策では、利子率の低下により投資が増加し、そこから乗数効果が発生する。つまり投資の増加により国民所得が増加し、その一部がまた消費に回り国民所得を増加させ…というプロセスが繰り返される。したがって限界消費性向が大きいほど乗数効果が大きいため、金融政策の効果は強くなる。

d ○：正しい。貨幣の投機的需要が利子率に対して感応的であるほど、貨幣供給量の増加による利子率の低下の効果は弱まる。利子率が低下しなければ投資は増加せず、したがって金融政策の効果は弱まる。

正解 ▶ オ

問題103 IS－LM分析

図①、図②はともにIS曲線・LM曲線を示している。IS－LM分析とそれに対応する財政・金融政策の説明として最も適切なものはどれか。

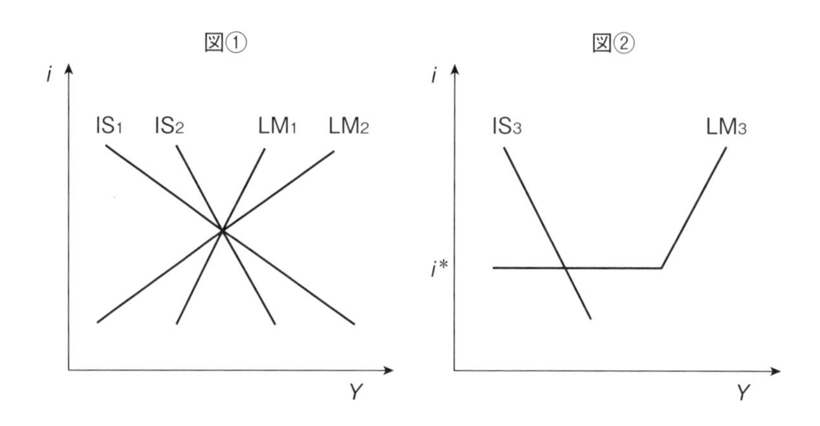

ア　マネーサプライを増加させるといった拡張的金融政策を実施すると、国民所得の増加と利子率の上昇がもたらされる。

イ　図①において、LM曲線がLM_1とする。このとき拡張的金融政策を行った場合、IS曲線がIS_1の場合のほうがIS_2の場合に比べ金融政策の効果が大きい。

ウ　図①においてIS曲線がIS_2とする。このとき拡張的財政政策を行った場合、LM曲線がLM_2の場合のほうが、LM_1の場合に比べ財政政策の効果が小さい。

エ　図②では流動性のわなが存在しており、拡張的財政政策は無効であるが、拡張的金融政策は有効である。

解説

スピテキLink▶ 8章4節

IS曲線の傾きが緩やか➡金融政策の効果が大きい。
LM曲線の傾きが緩やか➡財政政策の効果が大きい。
流動性のわな➡金融政策は無効、財政政策は有効。

ア ×：拡張的金融政策を実施すると、LM曲線が右方にシフトする。このとき、国民所得は増加するが、利子率は低下する。

イ ○：正しい。IS_1はIS_2に比べ、傾きが緩やかであり、同じLM曲線のシフトに対して、IS_1のほうが国民所得の増加幅は大きくなる。

ウ ×：LM_2はLM_1に比べ、傾きが緩やかであり、同じIS曲線のシフトに対して、LM_2のほうが国民所得の増加幅は大きくなる。

エ ×：金融政策と財政政策の効果が逆である。図②では流動性のわなが存在しており、金融政策は無効であるが、財政政策は有効である。

正解 ▶ イ

問題104 IS－LM分析

1 ／ 2 ／ 3 ／

財政政策の効果の大きさに関する記述のうち、最も適切なものはどれか。なお、IS曲線は右下がり、LM曲線は右上がりの形状とする。

ア IS－LM分析では、政府の財政政策による国民所得の増加よりも、利子率の上昇によって投資が抑制されることに起因する国民所得の減少額のほうが小さく、拡張的財政政策には一定の効果が期待できる。

イ IS－LM分析では、政府の財政政策による国民所得の増加と、利子率の上昇によって投資が抑制されることに起因する国民所得の減少額が等しく、拡張的財政政策の効果は期待できない。

ウ IS－LM分析では、政府の財政政策による国民所得の増加よりも、利子率の上昇によって投資が抑制されることに起因する国民所得の減少額のほうが大きく、拡張的財政政策は行わないほうがよい。

エ IS－LM分析では、政府の財政政策による国民所得の増加と、利子率の下落によって投資が促進されることに起因する国民所得の増加が相乗効果を生み、拡張的財政政策は大きな効果が期待できる。

解説

スピテキLink▶　8章4節

財政政策と利子率の関係をしっかり理解しておきたい。

クラウディングアウトとは、財政政策による国民所得の増加が利子率の上昇を招き、その結果、投資が抑制され国民所得の増加額が小さくなってしまう現象である。

ア　○：正しい。

イ　×：LM曲線が垂直である場合、財政政策は利子率を上昇させるのみであるが、本問ではLM曲線は右上がりと仮定されており、クラウディングアウトが発生しても、国民所得は増加する。

ウ　×：LM曲線が垂直である場合、財政政策の効果は無効となるが、マイナスになることはない。

エ　×：国民所得が増加すれば、利子率は上昇する（少なくとも下落することはない）。

正解　▶ ア

問題105 IS－LM分析

1 ／ 2 ／ 3 ／

下図のグラフはIS－LM曲線を描いたものである。この図の説明として最も適切なものはどれか。

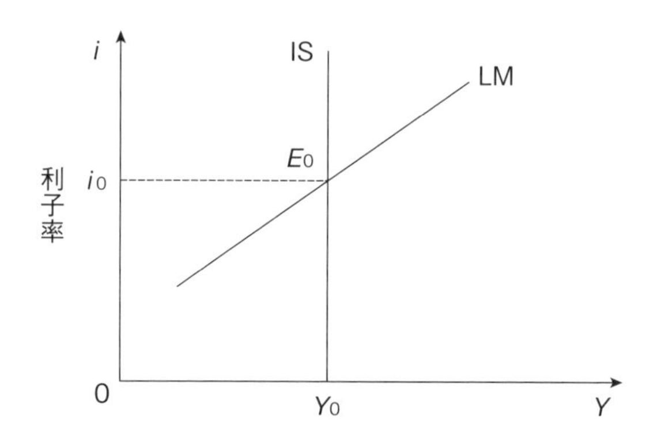

ア 投資の利子率弾力性がゼロであり、政府の財政政策により利子率は上昇するがクラウディングアウトは発生しない。

イ 投資の利子率弾力性がゼロであり、貨幣供給の増加により利子率は不変であるが、国民所得は一定の水準に維持される。

ウ 投資の利子率弾力性がゼロであり、政府の財政政策により利子率は上昇しクラウディングアウトが発生する。

エ 投資の利子率弾力性が無限大であり、政府の財政政策により利子率は上昇するがクラウディングアウトは発生しない。

オ 投資の利子率弾力性が無限大であり、貨幣供給の増加により利子率は不変であるが、投資は一定の水準に維持される。

解説

スピテキLink▶ 8章4節

投資の利子率弾力性がゼロ➡IS曲線は垂直
投資の利子率弾力性が無限大➡IS曲線は水平

グラフ中のIS曲線は垂直であり、このとき投資の利子率弾力性はゼロである。

ア ○：正しい。図１のように政府の財政政策によりIS曲線が右にシフトし、利子率は上昇するが、投資の利子率弾力性がゼロなので、利子率が上昇しても投資は抑制されず、クラウディングアウトは発生しない。

イ ×：図２のように貨幣供給の増加によりLM曲線が右にシフトし、利子率は下落する。また国民所得は増大しない。

ウ ×：アで述べたとおり、投資の利子率弾力性がゼロであるため、クラウディングアウトは発生しない。

エ ×：投資の利子率弾力性はゼロである。

オ ×：投資の利子率弾力性はゼロである。

図１

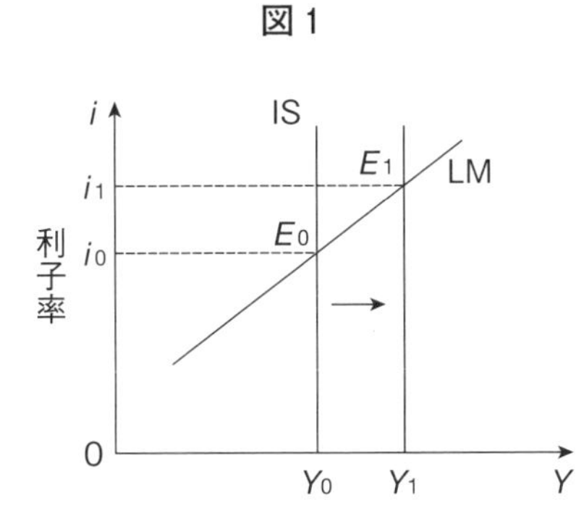

図２

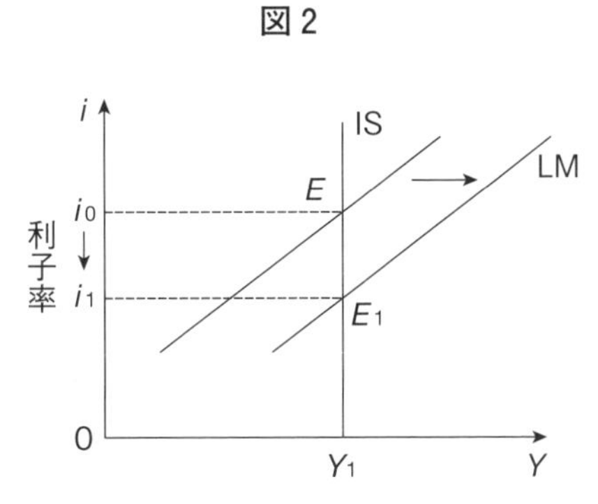

正解 ▶ ア

問題106 IS－LM分析

1 ／ 2 ／ 3 ／

IS－LM分析の枠組みで行われる財政・金融政策についての記述のうち、最も適切なものはどれか。

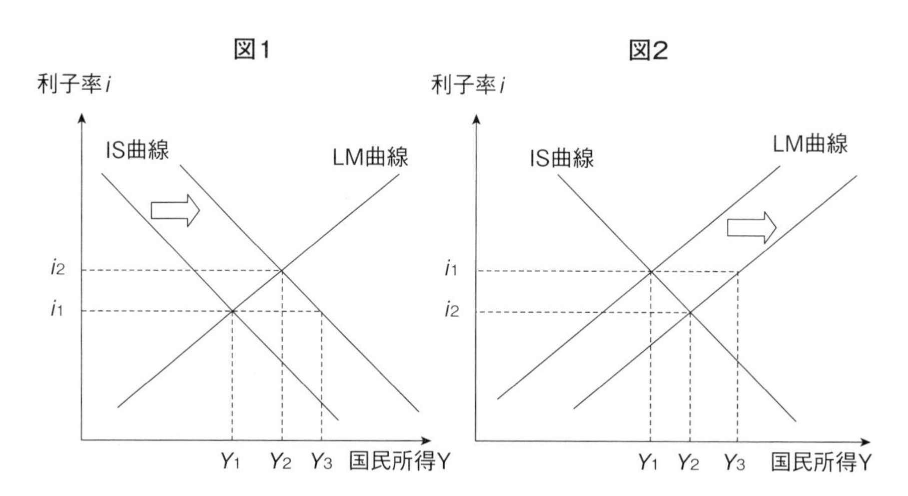

ア　今、図1のように、国民所得がY_1、利子率がi_1であり、財市場と貨幣市場はともに均衡しているとする。このとき、政府支出を増加させる財政政策により、IS曲線がシフトすると、国民所得はY_3まで増加するが、利子率は上昇しない。

イ　今、図2のように、国民所得がY_1、利子率がi_1であり、財市場と貨幣市場はともに均衡しているとする。このとき、中央銀行の売りオペレーションにより、LM曲線がシフトすると、国民所得はY_1からY_2に増加する。

ウ　今、図1のように、国民所得がY_1、利子率がi_1であり、財市場と貨幣市場はともに均衡しているとする。このとき、減税という財政政策により、IS曲線がシフトすると、国民所得はY_2まで増加するが、国民所得がY_3まで増加しないのは、クラウディングアウトが発生しているからである。

エ　今、図2のように、国民所得がY_1、利子率がi_1であり、財市場と貨幣市場はともに均衡しているとする。このとき、法定準備率を低下させることにより、LM曲線がシフトすると、国民所得はY_2まで増加するが、国民所得がY_3まで増加しないのは、クラウディングアウトが発生しているからである。

解説

スピテキLink▶　8章4節

IS曲線やLM曲線のシフトにより利子率や国民所得がどのように変化するか、グラフを利用して押さえておきたい。

ア　×：政府支出の増加による拡張的財政政策を行った場合、IS曲線が右にシフトすることにより、国民所得は Y_2 まで増加する。ここで、貨幣市場を考慮しなければ、国民所得は Y_3 まで増加すると考えられるが、貨幣市場を考慮に入れると、取引需要の増大による超過需要を解消すべく利子率が上昇することで投資が抑制されるクラウディングアウトが発生する。したがって、国民所得水準は Y_2 となり、利子率も i_2 まで上昇することになる。

イ　×：中央銀行が売りオペレーションを行い、ハイパワードマネーを減少させると、マネーサプライも同時に減少することになる。このような緊縮的な金融政策によりLM曲線は左にシフトすることになる。図2および本肢の記述は、買いオペレーションを行う拡張的金融政策についての記述となっている。

ウ　○：正しい。減税という拡張的財政政策によりIS曲線は右にシフトする。上記アの解説に示したように、貨幣需要を考慮に入れると、クラウディングアウトの発生により国民所得水準は Y_2 までにとどまることになる。

エ　×：法定準備率を低下させることにより、ハイパワードマネーが一定であってもマネーサプライが増加し、LM曲線は右にシフトすることになる。この結果、国民所得は Y_2 まで増加するが、この場合にはクラウディングアウトという概念は使わない。

正解 ▶ ウ

問題107 流動性のわな

流動性のわなに関する記述の正誤の組み合わせとして、最も適切なものを下記の解答群から選べ。

a 流動性のわなは貨幣需要の利子率弾力性がゼロの状態である。

b 流動性のわなの状態では、LM曲線は水平に描かれる。

c 流動性のわなが生じているときに拡張的な金融政策を行うと、利子率は大きく低下し、投資が促されることでGDPは増加する。

〔解答群〕

ア a：正 b：正 c：誤

イ a：正 b：誤 c：誤

ウ a：誤 b：正 c：正

エ a：誤 b：正 c：誤

オ a：誤 b：誤 c：正

解説

スピテキLink▶ 8章2・3節

POINT 流動性のわなとは、貨幣需要の利子率弾力性が無限大の状態であり、貨幣需要曲線やLM曲線は水平に描かれる。

a ×：流動性のわなは貨幣需要の利子率弾力性が無限大の状態である。

b ○：正しい。

c ×：流動性のわなの状態は利子率が低下し、すべての人がこれ以上利子率は低下しないと考えている。このような状況では新たな拡張的な金融政策を行っても利子率は低下しない。よって、新たな投資が促されないため、GDPは増加しない。

正解 ▶ エ

問題108　総需要曲線

1 ／　2 ／　3 ／

下図は、ケインズ派モデルにおける総需要曲線（AD）と総供給曲線（AS）を描いたものである。総需要曲線に関する記述の正誤の組み合わせとして、最も適切なものを下記の解答群から選べ。

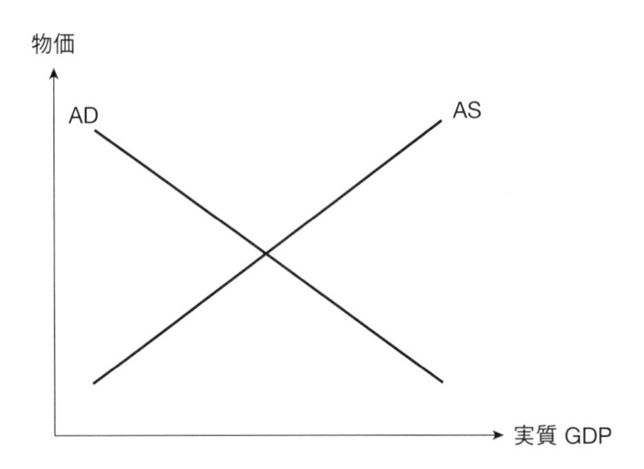

a　物価の下落は、投資の拡大と総需要の増加をもたらすため、総需要曲線は右下がりに描かれる。

b　投資の利子率弾力性がゼロのとき、総需要曲線は水平に描かれる。

c　増税は総需要曲線を右方へシフトさせる。

〔解答群〕

ア　a：正　b：正　c：誤

イ　a：正　b：誤　c：正

ウ　a：正　b：誤　c：誤

エ　a：誤　b：正　c：正

オ　a：誤　b：誤　c：誤

解説

スピテキLink▶ 9章1節

総需要曲線（AD曲線）は拡張的財政政策や拡張的金融政策により右シフトする。

a ○：正しい。

b ×：物価が下落し、利子率が低下しても、投資の利子率弾力性がゼロのときは投資が増加しないため、総需要も増加しない。よって、投資の利子率弾力性がゼロのとき、総需要曲線は垂直に描かれる。

c ×：拡張的な財政政策および金融政策により総需要曲線は右方へ描かれる。増税は緊縮的な財政政策であり、総需要曲線を左方へシフトさせる。

正解 ▶ ウ

問題 109　総供給曲線

1 ／　2 ／　3 ／

下図は、ケインズ派モデルにおける総需要曲線（AD）と総供給曲線（AS）を描いたものである。総供給曲線に関する記述の正誤の組み合わせとして、最も適切なものを下記の解答群から選べ。

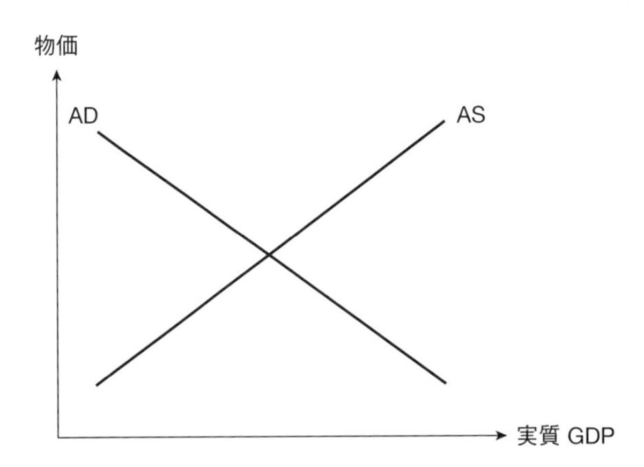

a　実質賃金率は硬直性をもつため、非自発的失業が存在しうる。

b　物価の下落によって、実質賃金率が上昇し、労働需要が増加する。

c　生産性の上昇は総供給曲線を左方へシフトさせる。

〔解答群〕

ア　a：正　b：正　c：誤

イ　a：正　b：誤　c：正

ウ　a：正　b：誤　c：誤

エ　a：誤　b：正　c：正

オ　a：誤　b：誤　c：誤

解説

スピテキLink ▶ 9章2節

POINT 総供給曲線（AS曲線）は原材料費下落、生産性向上、資本装備率の上昇、労働人口の増加などにより右シフトする。

a ×：ケインズ派モデルにおいては名目賃金率が下方硬直性をもつため、物価が下落すると実質賃金率は上昇する（実質賃金率は硬直性をもたない）。非自発的失業が存在しうることは正しい。

b ×：労働市場において需要者は企業、供給者は家計である。物価の下落によって実質賃金率が上昇し、その結果労働需要は減少する。

c ×：生産性の上昇は供給量の増加につながり、総供給曲線を右方へシフトさせる。

正解 ▶ オ

問題110 AD－AS分析

1／ 2／ 3／

下図は、ケインズ派モデルにおける総需要曲線（AD）と総供給曲線（AS）を描いたものである。この図に関する記述として、最も適切なものの組み合わせを下記の解答群から選べ。

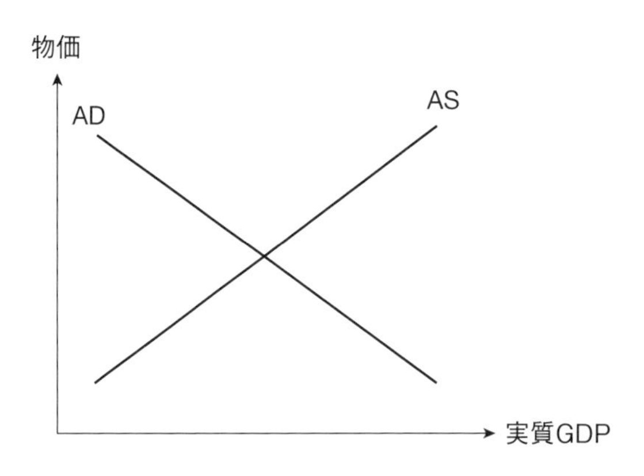

a　物価の下落は、投資の拡大と総需要の増加をもたらすため、総需要曲線は右下がりに描かれる。

b　物価の下落は、実質賃金率の上昇によって労働需要を増加させるため、総供給曲線は右上がりに描かれる。

c　増税は総需要曲線を右方へシフトさせる。

d　生産性の上昇は総供給曲線を右方へシフトさせる。

〔解答群〕

ア　a と b
イ　a と c
ウ　a と d
エ　b と c
オ　b と d

解説

スピテキLink▶　9章1・2節

POINT

総需要曲線が右下がりになるのは以下のプロセスによる。
物価↓⇒実質貨幣供給↑⇒利子率↓⇒投資↑⇒国民所得↑
ケインズ派の総供給曲線が右上がりになるのは以下のプロセスによる。
物価↓、名目賃金率→⇒実質賃金率↑⇒労働需要＜労働供給⇒国民所得↓

a　○：正しい。
b　×：実質賃金率は $\frac{名目賃金率}{物価}$ で表される。物価が下落するとこの式の分母が小さくなるため、実質賃金率は上昇する。そして、実質賃金率が上昇すると労働需要は減少する（実質賃金率が高いほど企業の労働需要は減少する）ため、実質GDPは減少する。よって、総供給曲線は右上がり（左下がり）に描かれる。
c　×：増税は減税の逆なので、総需要曲線の左シフト要因である。
d　○：正しい。

正解 ▶ ウ

問題111 セイの法則

1 ／ 2 ／ 3 ／

古典派によるセイの法則に関する記述として、最も適切なものの組み合わせを下記の解答群から選べ。

a 労働市場においては、労働の超過供給は存在せず、つねに完全雇用が実現する。

b 市場に供給された財は、価格変動を通じてすべて需要されるため、超過供給は生じない。

c 貨幣の超過需要は、債券の利子率が上昇することを通じて解消される。

d 総需要が増加すればそれに見合う供給が生み出されるため、国民所得の水準は総需要に依存する。

〔解答群〕

ア aとb　**イ** aとc　**ウ** aとd　**エ** bとc　**オ** cとd

解説

スピテキLink▶　9章2節1項、9章3節3項

POINT

セイの法則とは、「国民所得は供給サイドから決定される（供給はそれ自身の需要を創造する）」というものである。セイの法則の意味するところは、「需要と供給が一致しないときは価格調整が行われる。たとえば従来より供給が増えると価格が下がるので、ほとんどの場合需要が増え、需要と供給は一致する。それゆえ、需要を増やすには、供給を増やせばよい」というものである。

a　○：正しい。セイの法則は労働市場にも該当する。労働の超過供給（超過需要）が生じた場合、労働の価格である賃金が変動することで完全雇用が実現する。

b　○：上記より、正しい。

c　×：本肢の記述は、ケインズ派による流動性選好理論（貨幣の投機的需要）に関する内容である。古典派は貨幣の取引需要のみ想定することは記憶しておきたい。

d　×：本肢の記述は、ケインズ派による有効需要の原理に関する内容である。

正解 ▶ ア

問題112 失業

1 ／ 2 ／ 3 ／

失業についての記述の正誤の組み合わせとして、最も適切なものを下記の解答群から選べ。

a 摩擦的失業は、労働市場において完全雇用が実現している状況であっても発生する。

b 自然失業率仮説によれば、物価上昇率と失業率の間には、短期的にも長期的にも、物価上昇率が低下すれば失業率は上昇するという関係が成立する。

c オークンの法則とは物価上昇率と失業率との間に負の相関関係を示す経験則である。

〔解答群〕

ア a：正　b：正　c：誤
イ a：正　b：誤　c：正
ウ a：正　b：誤　c：誤
エ a：誤　b：正　c：正
オ a：誤　b：誤　c：正

解説

スピテキLink ▶ 9章4節

失業の分類、フィリップス曲線、オークンの法則関連の用語を押さえておきたい。

a ○：正しい。完全雇用とは、現行の賃金で働きたいと思っている人がすべて働ける状態のことであり、完全雇用が実現されている状況であっても摩擦的失業（転職に伴い不可避的に生じる失業）、構造的失業（経済構造など外生的な要因にもとづく失業）、自発的失業（労働者が現行の賃金では働かないことを選択するために生じる失業）は発生する。

b ×：自然失業率仮説はマネタリストの考え方であり、フィリップス曲線を以下のようにとらえるものと考える。
短期（実質賃金が一定であることに気づかない）
　名目賃金の上昇⇒労働供給の増加＝右下がりのフィリップス曲線
長期（実質賃金が一定であることに気づく）
　労働供給の減少⇒もとの水準に戻る＝垂直なフィリップス曲線

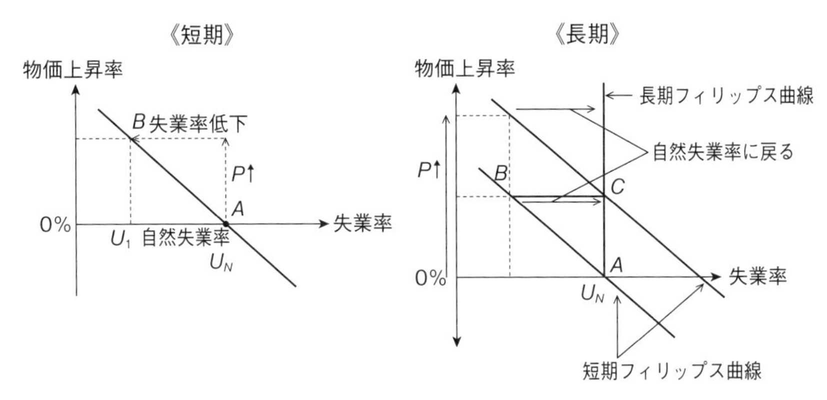

自然失業率仮説によれば、物価上昇率と失業率は、短期的には物価上昇率が低下すれば失業率は上昇するという関係が成立するが、長期的には自然失業率で一定となる。

c ×：オークンの法則とは国民所得と失業率の負の相関関係を示す経験則のことである。
物価上昇率と失業率の負の相関関係を図示したものを物価版フィリップス曲線という。

正解 ▶ ウ

問題 113 スタグフレーション

1 ／ 2 ／ 3 ／

スタグフレーションを発生させる要因として最も適切なものはどれか。

ア 賃金の低下
イ 消費意欲の高まり
ウ 拡張的な財政政策
エ 消費意欲の減退
オ 原油価格の高騰

解説

スピテキLink▶ 9章3節4項

POINT 「スタグフレーション」:「Stagnation（停滞）」と「Inflation（インフレーション）」の合成語で、経済の停滞（不況）とインフレが同時に起こる現象のことであり、総供給曲線が左方シフトすることで生じる。

ア ×：賃金の低下は限界費用を低下させるため、総供給曲線を右方シフトさせる。

イ ×：消費意欲の高まりは総需要曲線を右方シフトさせる。

ウ ×：拡張的な財政政策は総需要曲線を右方シフトさせる。

エ ×：消費意欲の減退は総需要曲線を左方シフトさせる。

オ ○：正しい。原油価格の高騰は限界費用を上昇させるため、総供給曲線を左方シフトさせる。したがって下図のように、インフレーションとGDPの減少が同時に発生することになる。

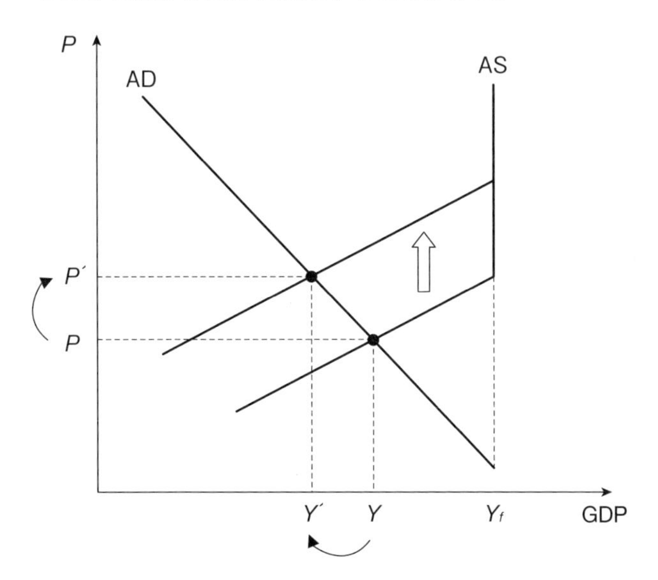

正解 ▶ オ

問題114 消費

1／ 2／ 3／

消費の理論に関する記述の正誤の組み合わせとして、最も適切なものを下記の解答群から選べ。

a 絶対所得仮説では、国民所得が増加するほど平均消費性向は大きくなると考える。

b ライフサイクル仮説では、今期の消費は生涯所得に依存して決まると考える。

c 恒常所得仮説は、個人の所得獲得能力から予想される平均的な所得に依存すると考える。

〔解答群〕

ア a：正 b：正 c：誤

イ a：正 b：誤 c：正

ウ a：正 b：誤 c：誤

エ a：誤 b：正 c：正

オ a：誤 b：誤 c：誤

解説

スピテキLink▶　7章2節、10章1節1項

消費の三大仮説である「ライフサイクル仮説」「恒常所得仮説」「相対所得仮説」を押さえておきたい。また、絶対所得仮説とは、ケインズ型消費関数（$C=cY+C_0$）のことである。

a　×：ケインズ型消費関数は、消費を縦軸、国民所得を横軸としたグラフで次図のように表される。原点とグラフ上の点を結んだ直線の傾きが平均消費性向（所得に占める消費の割合）になるが、国民所得が増加すると平均消費性向は小さくなる（次図のY_0の平均消費性向>Y_1の平均消費性向）ことが読み取れる。つまり、絶対所得仮説では、国民所得が増加するほど、平均消費性向は小さくなるとしている。

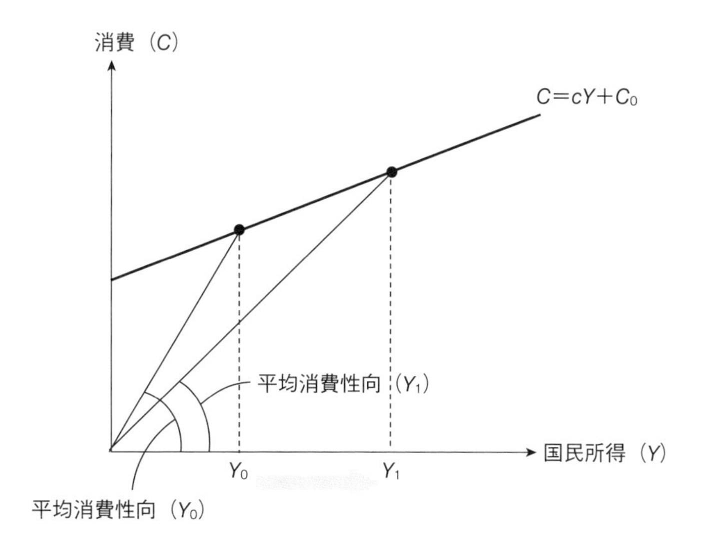

b　○：正しい。ライフサイクル仮説は、今期の消費は、一生のあいだに得ることのできる所得（生涯所得）に依存して決まるという考え方である。

c　○：正しい。恒常所得仮説は、個人の所得獲得能力から予想される平均的な所得（恒常所得）に依存すると考える。

正解 ▶ エ

10章

問題115 投資

1 ／ 2 ／ 3 ／

投資理論に関する記述の正誤の組み合わせとして、最も適切なものを下記の解答群から選べ。

a ケインズの投資理論では、投資の限界効率が利子率を下回る場合に投資を実行すると考える。

b 加速度原理では、資本係数が加速度的に大きくなるという仮定をおく。

c トービンのqとは、現存の資本ストックを買い換える費用総額を企業の市場価値で除したものである。

〔解答群〕

ア	a：正	b：正	c：誤
イ	a：正	b：誤	c：正
ウ	a：正	b：誤	c：誤
エ	a：誤	b：正	c：正
オ	a：誤	b：誤	c：誤

解説

スピテキLink▶ 7章6節1項、10章2節

POINT 設備投資の代表的な理論は、①投資の限界効率理論、②加速度原理、③トービンのq理論、④新古典派の投資理論である。

・投資の限界効率理論（ケインズ）：投資の限界効率が利子率を上回る限り投資が行われるという考え方

・加速度原理：GDPの増加分に比例して投資が行われるという考え方

> 今期の投資＝資本係数×（今期のGDP－前期のGDP）
>
> 資本係数：産出量１単位あたりに必要な資本ストック
>
> （今期のGDP－前期のGDP）：GDPの増加分

・トービンのq理論：トービンのq（以下の枠囲み参照）が、「$q>1$」の場合は投資が行われ、「$q<1$」の場合は負の投資（資本ストックの減少）が行われるという考え方

$$q=\frac{\text{企業の市場価値（株価総額＝株価×発行済株式総数）}}{\text{現存の資本ストックを買い換える費用総額}}$$

※「企業の市場価値」は「株式の時価総額＋負債の総額」で表されることもある。

・新古典派の投資理論：「資本の限界生産力（限界生産物）＝実質利子率（資本の使用者費用）」となる水準に資本需要量（投資量）が決まるという考え方

a ×：ケインズの投資理論では、投資の限界効率が利子率を上回る場合に投資を実行すると考える。

b ×：加速度原理では、資本係数（資本とGDPの比率）は一定であるという仮定をおく。

c ×：トービンのqとは、企業の市場価値を現存の資本ストックを買い換える費用総額で除したものである。

正解 ▶ オ

10章

問題116 古典派およびマネタリストの拡張的金融政策に関する見解

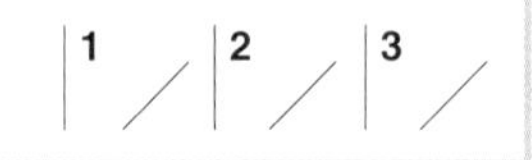

古典派およびマネタリストの拡張的金融政策に関する見解として、最も不適切なものはどれか。

ア 古典派による貨幣ベール観によれば、貨幣供給量を増加させても物価が比例的に上昇するだけで、相対的な価格は変化しない。

イ ケンブリッジ方程式によれば、貨幣の流通速度が上昇すると貨幣供給量は減少する。

ウ k%ルールによれば、長期的な経済成長率に見合った一定の増加率で貨幣供給量を増加させていくことが望ましい。

エ 貨幣数量式によれば、物価上昇率は貨幣の増加率から経済成長率を差し引くことで求められる。

オ マネタリストによれば、拡張的金融政策によって一時的に国民所得は増加するが、長期的には貨幣錯覚が生じるので国民所得は元の水準に戻ってしまう。

解説

スピテキLink ▶ 10章3節

POINT 以下の用語について押さえておきたい。
「貨幣ベール観」「ケンブリッジ方程式」「k%ルール」「貨幣数量説」

ア ○：正しい。古典派は市場の価格調整機能を前提とする。貨幣ベール観とは、「貨幣供給量を2倍にしてもすべての財の価格（物価）が2倍になるだけで、相対価格は変化せず実物経済には何ら影響を与えない」というものである。

イ ○：正しい。ケンブリッジ方程式とは以下の式のことである。

$$M=kPY \quad ただし、k=\frac{1}{V}$$

（M＝貨幣供給量、V＝貨幣の流通速度、P＝物価、Y＝名目国民取得）
このkのことをマーシャルのkという。
さて、貨幣の流通速度が上昇するとは、Vの値が大きくなるということである。上式より、Vの値が大きくなるとkの値が小さくなり、Mの値が小さくなる。つまり、貨幣供給量は減少する。簡潔にいえば、貨幣の流通速度（≒貨幣の使用頻度）が上昇すれば供給する貨幣供給量は少なくてよいということである。

ウ ○：正しい。マネタリストによれば、裁量的金融政策は無用の混乱を招きかねないため行うべきでなく、国民所得の成長に合わせて毎年k%で貨幣供給量を増加させればよいという（k%ルール）。

エ ○：正しい。おおよそ次のようなイメージでとらえるとよい。貨幣の増加率とはマネーサプライの増加率である。一方、経済成長率は貨幣の取引需要の増加率である。よって、マネーサプライを増加させた場合、貨幣の取引需要の増加によっても吸収できない分は貨幣の超過供給ということになる。貨幣の超過供給によって貨幣価値は下落し、物価は上昇する。

オ ×：マネタリストによれば、拡張的金融政策を行うと、短期的には貨幣錯覚によって国民所得が増加するが、長期的には貨幣錯覚がなくなるので、国民所得は元の水準に戻ってしまう。貨幣錯覚とは、名目賃金の上昇を実質賃金の上昇と錯覚してしまうことである。

正解 ▶ オ

問題117 為替レートと経常収支

1 ／ 2 ／ 3 ／

為替レートと経常収支に関する説明として、最も適切なものの組み合わせを下記の解答群から選べ。

a　購買力平価説では、自国通貨建て資産と外貨建て資産のどちらに投資しても同じリターンが得られるように為替レートが決まるとされている。

b　金利平価条件式は、たとえば日本とアメリカの物価水準によって為替レートが決まるという考え方に基づいている。

c　アブソープションアプローチとは、国内総生産（GDP）と国内総支出の差が経常収支を決定するという考え方である。

d　円安は輸出の増加につながるため経常収支の改善を生むが、円安の当初は短期的に貿易収支の悪化をもたらす。これをＪカーブ効果とよぶ。

〔解答群〕

ア　aとd　**イ**　aとc　**ウ**　bとc　**エ**　bとd　**オ**　cとd

解説

スピテキLink▶ 11章1節2項、11章2節2項

経常収支の決定理論として、ISバランスアプローチとアブソープションアプローチがある。また、為替レートを決定する考え方として購買力平価説などがある。

a ×：記述は金利平価条件式の説明である。

b ×：記述は購買力平価説の説明である。

c ○：正しい。アブソープションアプローチとは、「経常収支は、国内総生産（GDP）と国内需要の差で決定される」という考え方である。

d ○：正しい。日本の輸出を考えた場合、円安は本来経常収支を改善させる。しかし、為替レートの変動が実際の効果を生むまでにはタイムラグがあるため、当初は経常収支の悪化をもたらす。これをＪカーブ効果という。

正解 ▶ オ

問題 118　為替レート

1 ／ 2 ／ 3 ／

以下の文章の空欄A～Cに入る用語の組み合わせとして、最も適切なものはどれか。

為替レートの決定理論のひとつであるアセットアプローチとは、[A]における為替レートの決定要因を説明するものである。各国の資産の収益率の違いから、投機的な資金の動きが生じることで為替レートが変化すると考える。たとえば、日本と米国で考えた場合、日本の利子率よりも米国の利子率のほうが高いと、[B]し、為替レートは[C]へ向かう。

ア　A：超短期　B：日本に資金が流入　C：円高ドル安
イ　A：超短期　B：米国に資金が流出　C：円安ドル高
ウ　A：短期　B：日本に資金が流入　C：円安ドル高
エ　A：短期　B：米国に資金が流出　C：円高ドル安
オ　A：長期　B：日本に資金が流入　C：円安ドル高

解説

スピテキLink▶ 11章1節

アセットアプローチとは、各国の資産の収益率の違いから国際間で資本移動が起こり、外国為替の需要と供給に影響を与え、為替レートが決定されるという考えのことである。

日本と米国を例に、次の表にまとめる。

利子率	為替市場	資金の流れ	為替レート
日本（ｉ）＜米国（ｉ）	米国の債券に投資するため円売りドル買い	米国へ資金流出	円安ドル高
日本（ｉ）＞米国（ｉ）	日本の債券に投資するため円買いドル売り	日本へ資金流入	円高ドル安

アセットアプローチは、超短期（空欄Ａ）における為替レートの決定要因を説明するものである。上表より、日本の利子率よりも米国の利子率のほうが高い場合、日本から米国に資金が流出し（空欄Ｂ）、為替レートは円安ドル高（空欄Ｃ）へ向かうこととなる。

正解 ▶ イ

問題119 為替レート

1／　2／　3／

以下の文章の空欄A～Dに入る用語の組み合わせとして、最も適切なものはどれか。

フローアプローチとは、為替レートが外国為替市場における外貨のフローの需給均衡により決定されると考えるものであり、ここでは外貨取引を財・サービスの輸出入取引に限定して考察してみる。まずドル需要の面を考える。たとえば為替レートが100円／ドルから120円／ドルの円安ドル高になったとすると、［A］ためにドルの需要は［B］。次にドル供給を考える。同様に為替レートが100円／ドルから120円／ドルの円安ドル高になったとすると［C］ためにドル供給は［D］。しかし、変動為替レート制のもとでは、為替レートが伸縮的に動き、価格調整メカニズムにより市場の不均衡が解消されることになる。

ア　A：輸出が増加する　B：増加する　C：輸入が減少する
D：減少する

イ　A：輸出が減少する　B：減少する　C：輸入が増加する
D：増加する

ウ　A：輸入が増加する　B：増加する　C：輸出が減少する
D：減少する

エ　A：輸入が減少する　B：減少する　C：輸出が増加する
D：増加する

解説

スピテキLink▶ 11章1節2項

フローアプローチは、外貨のフローの需給均衡が為替レートを決定づけるものとする為替レートの決定理論のひとつである。

たとえば為替レートが100円／ドルから120円／ドルの円安ドル高になったとすると、米国で100ドルする製品の日本円での購入価格は10,000円から12,000円に上昇するため「輸入は減少」し、支払いのためのドル需要も「減少する」（空欄A、B）。一方、輸出取引を考えると、同様に為替レートが100円／ドルから120円／ドルの円安ドル高になった場合、日本で10,000円の製品の米ドルでの販売価格が100ドルから83ドルに低下するため「輸出が増加」し、ドル供給は「増加する」（空欄C、D）。この結果、ドルの需給関係は一時的に超過供給の状態となる。しかし、変動為替レート制のもとでは、為替レートは伸縮的に動くと考えられるため、円高が進行し、ドルの超過供給は解消されることになる。

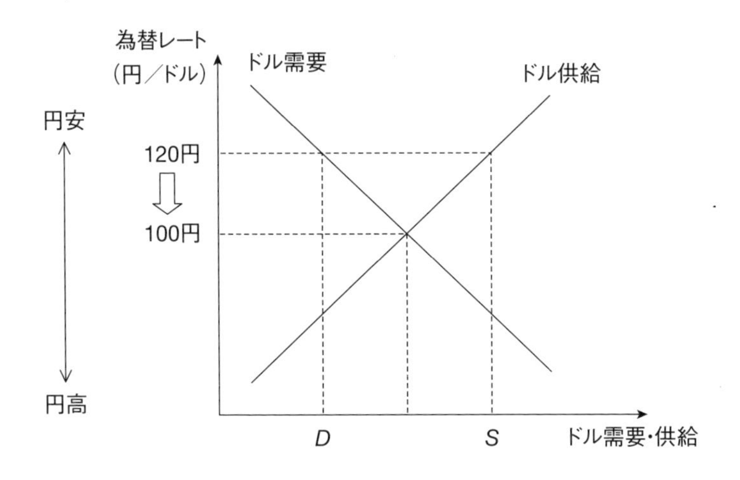

正解 ▶ エ

問題120 為替レート

1 ／ 2 ／ 3 ／

為替レートの決定に関する以下の文章を読み、空欄(a)(b)(c)に当てはまる語句および数式として最も適切なものの組み合わせを下記の解答群から選べ。

為替レートの決定に関するひとつの説として「購買力平価説」がある。購買力平価説とは、「日本とアメリカの間の為替レートは実質的な物価水準が二国の間で等しくなるように決定される」という説のことである。たとえば、日本の物価水準をP_J、アメリカの物価水準をP_A、そして為替レートを1ドル＝E円とすると、購買力平価説は［(a)］式で表される。

購買力平価説が正しいとすると、日本のみがインフレ傾向にある場合、日米間の為替相場は［(b)］になる。購買力平価説は、比較的［(c)］期間で当てはまると考えられている。

〔解答群〕

ア (a) $P_A = P_J \times E$　(b) 円安　(c) 長い

イ (a) $P_A = P_J \times E$　(b) 円高　(c) 短い

ウ (a) $P_J = P_A \times E$　(b) 円高　(c) 短い

エ (a) $P_J = P_A \times E$　(b) 円高　(c) 長い

オ (a) $P_J = P_A \times E$　(b) 円安　(c) 長い

解説

スピテキLink▶ 11章1節2項

購買力平価説について押さえておきたい。

たとえば、ある携帯音楽プレイヤーが日本で20,000円、アメリカでは200ドルであったとする。このとき、購買力平価説の考え方によれば、200ドル＝20,000円になっていなければならない。ある携帯音楽プレイヤーという同一の財を購入するための対価は同一であるということである。このとき、為替レートを1ドル＝E円とすると、E＝100（1ドル100円）となる。これをそのまま一般的な物価に置き換えれば$P_J = P_A \times E$（日本の物価水準＝アメリカの物価水準×為替レート）と表せる。

また、日本でインフレが起きているということはP_Jが上昇し続けているということであり、アメリカでインフレが起きていないのであれば、為替レートEは上昇する。前の例でいえば、ある携帯音楽プレイヤーが日本で24,000円に上昇しアメリカでは不変ならば、為替レートはE＝120円（24,000円＝200ドル）になるはずであり、円安になる。

さらに、一般的に購買力平価説は比較的長期で成立するといわれている（この点は知らなくても、選択肢の構造から正解を導くことができる）。

正解 ▶ オ

問題121 マンデル＝フレミングモデル

1 ／ 2 ／ 3 ／

マンデル＝フレミングモデルでは、変動相場制において為替レートの変化が輸出量や輸入量にどのような影響を与えるかを考える。以下の文章を読み、空欄A～Dに入る用語の組み合わせとして、最も適切なものはどれか。

日本と米国を例に考える。円高ドル安は、［A］企業は有利、［B］企業は不利となるため、［A］は増加、［B］は減少し、経常収支が［C］して総需要が［D］する。

〔解答群〕

ア A：輸出　B：輸入　C：悪化　D：減少

イ A：輸出　B：輸入　C：改善　D：増加

ウ A：輸入　B：輸出　C：悪化　D：減少

エ A：輸入　B：輸出　C：改善　D：増加

オ A：輸入　B：輸出　C：悪化　D：増加

解説

スピテキLink▶ 11章3節

POINT マンデル＝フレミングモデルにおける経常収支は「輸出－輸入」と捉える。輸出および輸入は、需要項目であるため、輸出が増加すれば総需要は増加し、輸入が増加すれば総需要が減少する。

●円高ドル安⇒輸出EXは減少、輸入IMは増加（「輸出－輸入」は減少）

「100円/ドル」から「80円/ドル」に円高になったとする。この場合、100円の日本製品は、米国で1ドルから1.25ドル（100÷80より）に価格が上昇するため、輸出企業は不利となり、輸出が減少する。一方、米国で1ドルの製品は、日本では100円から80円に価格が低下するため、輸入企業は有利となり、輸入が増加する。

●円安ドル高⇒輸出EXは増加、輸入IMは減少（「輸出－輸入」は増加）

「100円/ドル」から「120円/ドル」に円安になったとする。この場合、100円の日本製品は、米国で1ドルから0.83ドル（100÷120より）に価格が低下するため、輸出企業は有利となり、輸出が増加することとなる。一方、米国で1ドルの製品は、日本では100円から120円に価格が上昇するため、輸入企業は不利となり、輸入が減少する。

100円／ドル→80円／ドル（円高ドル安）
- 米国における日本製品の値上がり→輸出EX↓
- 日本における米国製品の値下がり→輸入IM↑

} 経常収支が悪化して総需要が減少

100円／ドル→120円／ドル（円安ドル高）
- 米国における日本製品の値下がり→輸出EX↑
- 日本における米国製品の値上がり→輸入IM↓

} 経常収支が改善して総需要が増加

正解 ▶ ウ

問題 122 マンデル＝フレミングモデル（財政政策の効果）

1 ／ 2 ／ 3 ／

下図において、IS曲線は生産物市場の均衡を示し、LM曲線は貨幣市場の均衡を示し、BP曲線は国際収支の均衡を表している。

いま、小国モデル、完全資本移動、変動為替レート制、物価の硬直性、静学的為替レート予想を仮定するとき、拡張的な財政政策に伴う効果の記述として、最も適切なものの組み合わせを下記の解答群から選べ。

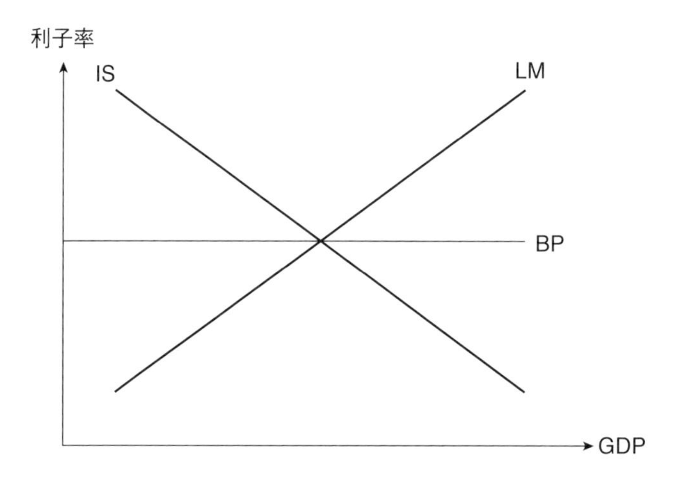

a 海外から国内へ資本流入が起こる。

b 為替レートは増価する。

c 純輸出は増加する。

d 拡張的な財政政策は有効である。

〔解答群〕

ア aとb

イ aとc

ウ bとc

エ bとd

オ cとd

解説

スピテキLink▶ 11章3節

POINT

① 拡張的財政政策によりIS曲線が右方にシフトし、国内利子率（r）が上昇する。

② 海外から国内へ資本流入が起こる（資本収支は黒字）。

③ 為替市場では、円買いドル売りが進む。

④ 変動相場制のもと、為替レートが円高ドル安になる。

⑤ 輸出が減少、輸入が増加し（経常収支は赤字）、IS曲線が左シフト（生産物市場の需要が減少）する。

⑥ GDPは当初の水準に戻ってしまう。

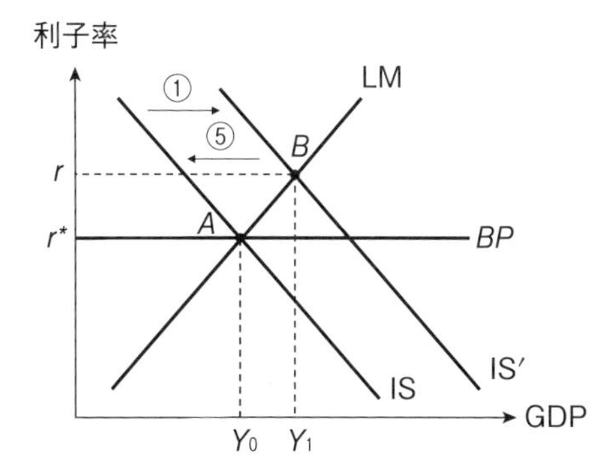

a ○：正しい。上記②のとおりである。

b ○：正しい。上記③、④のとおり（為替レートが増価＝円高ドル安）である。

c ×：上記⑤のとおり、純輸出は減少する。

d ×：上記⑥のとおり、国民所得は当初の水準に戻ってしまうため、拡張的な財政政策は無効である。

正解 ▶ ア

問題123 マンデル＝フレミングモデル（金融政策の効果）

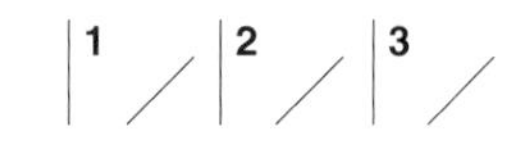

下図において、IS曲線は生産物市場の均衡を示し、LM曲線は貨幣市場の均衡を示し、BP曲線は国際収支の均衡を表している。

いま、小国モデル、完全資本移動、変動為替レート制、物価の硬直性、静学的為替レート予想を仮定するとき、拡張的な金融政策に伴う効果の記述として、最も適切なものの組み合わせを下記の解答群から選べ。

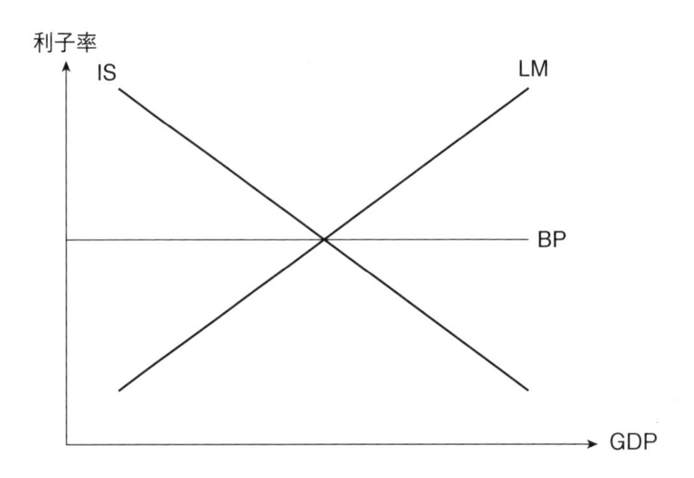

a　海外から国内へ資本流入が起こる。

b　為替レートは増価する。

c　純輸出は増加する。

d　拡張的な金融政策は有効である。

〔解答群〕

ア　a と b

イ　a と c

ウ　b と c

エ　b と d

オ　c と d

解説

スピテキLink▶　11章３節

POINT

① 拡張的金融政策によりLM曲線が右方にシフトし、国内利子率（r）が低下する。

② 国内から海外へ資本流出が起こる（資本収支は赤字）。

③ 為替市場では、円売りドル買いが進む。

④ 変動相場制のもと、為替レートが円安ドル高になる。

⑤ 輸出が増加、輸入が減少し（経常収支は黒字）、IS曲線が右シフト（生産物市場の需要が増加）する。

⑥ GDPが大幅に増加する。

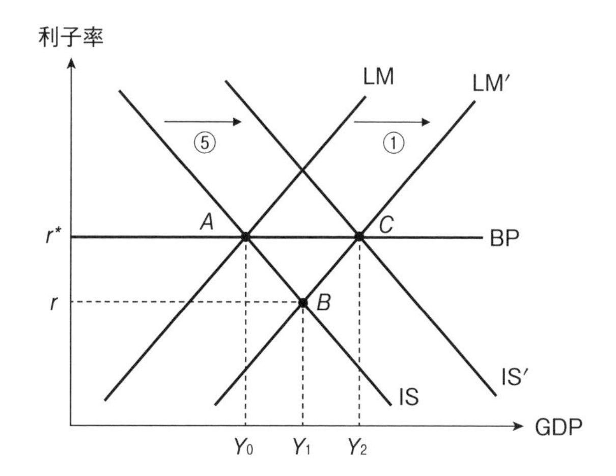

a ×：上記②のとおり、国内から海外へ資本流出する。

b ×：上記③、④のとおり、為替レートは減価（円安ドル高）する。

c ○：正しい。上記⑤のとおりである。

d ○：正しい。上記⑥のとおりである。

正解 ▶ オ

問題124 マンデル＝フレミングモデル

1 ／ 2 ／ 3 ／

下図において、IS曲線は生産物市場の均衡を示し、LM曲線は貨幣市場の均衡を示し、BP曲線は国際収支の均衡を表し、本問においては水平に描かれている。

いま、小国モデル、変動為替レート制、物価の硬直性、静学的為替レート予想を仮定する。

この図に関する記述の正誤の組み合わせとして、最も適切なものを下記の解答群から選べ。

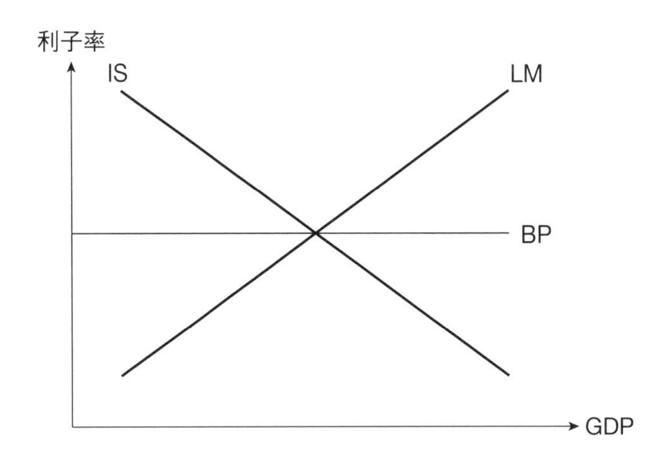

a BP曲線が水平であるため、資本移動は完全である。

b 政府支出を増加させると資本流出が起こり、円高ドル安が発生する。

c 拡張的金融政策を行うと、輸出が増加してGDPは増加する。

〔解答群〕

ア a：正　b：正　c：誤

イ a：正　b：誤　c：正

ウ a：正　b：誤　c：誤

エ a：誤　b：正　c：正

オ a：誤　b：誤　c：誤

解説

スピテキLink ▶ 11章3節

BP曲線＝国際収支を均衡させる（国際収支がゼロとなる）ような国民所得と利子率の組み合わせを描いた曲線

a ○：正しい。資本移動が完全の場合、国内利子率＝国際利子率となるときに国際収支は均衡する。資本移動が完全の場合、BP曲線は水平となる。なお、マンデル＝フレミングモデルにおける国際収支は「経常収支（輸出－輸入）＋資本収支（資本の流入－資本の流出）」と想定する。

b ×：政府支出を増加させると資本流入が起こり、円高ドル安が発生する。

c ○：正しい。拡張的金融政策を行うと、資本流出が起こり、円安ドル高が発生する。その結果、輸出が増加してGDPは増加する。

正解 ▶ イ

問題 125　経済成長の理論

1 ／ 2 ／ 3 ／

経済成長の理論に関する記述として、最も適切なものはどれか。

ア　リアルビジネスサイクル理論では、景気循環から生じる要因は、需要側の要因であるととらえ、経済に組み込まれていない突然の技術革新や天災などが外部からのショックとして影響を与える。

イ　ソローによって提唱された成長会計では、全要素生産性の増加率は、経済成長率から資本ストックと労働の寄与度を差し引いて計測する。

ウ　新古典派の経済成長モデルでは、労働１人あたりにおいては収穫逓減の生産関数を仮定するため、労働人口の成長率の増加によって、労働１人あたりの生産量は増加する。

エ　内生的経済成長理論では、貯蓄率が低いほど投資が増え、経済成長率が高くなる。

解説

スピテキLink▶ 12章2節

POINT

・リアルビジネスサイクル理論：景気循環を発生させる要因は技術革新や天災など生産性を変化させる外部からのショックであると考える。

・成長会計：経済成長率を次の式で表す。

$$\frac{\Delta Y}{Y}=\frac{\Delta A}{A}+\alpha\frac{\Delta K}{K}+(1-\alpha)\frac{\Delta L}{L}$$

（経済成長率＝全要素生産性の増加率＋資本ストックの寄与度＋労働の寄与度）

・内生的経済成長理論：従来の経済成長理論では、技術進歩は外生的に与えられるものとしていたが、内生的経済成長理論では、技術進歩を内生的な要因としてモデルに取り込もうとする。

ア ×：リアルビジネスサイクル理論は古典派の考えであり、景気循環から生じる要因は、供給側の要因であるととらえ、経済に組み込まれていない突然の技術革新や天災などが外部からのショックとして影響を与えるとする理論である。

イ ○：正しい。ソローによって提唱された成長会計は、資本ストックの増加、労働人口の増加、全要素生産性の各要因が、経済成長にどのくらい寄与しているかを定量的に把握しようとするものである。全要素生産性とは、個別的な生産要素の部分生産性ではなく、技術進歩のようにすべての生産要素投入量と産出量との関係を計測するための指標である。また、POINTの式を変形すると、以下のようになる。

$$\frac{\Delta A}{A}=\frac{\Delta Y}{Y}-\alpha\frac{\Delta K}{K}-(1-\alpha)\frac{\Delta L}{L}$$

全要素生産性の増加率は、経済成長率から資本ストックと労働の寄与度を差し引いて計測することができ、このように計測された全要素生産性の増加率をソロー残差という。

ウ ×：新古典派の経済成長モデルでは、労働１人あたりにおいては収穫逓減の生産関数を仮定するため、労働人口の成長率ほど生産量は増加せず、労働１人あたりの生産量は減少する。

エ ×：内生的経済成長理論では、貯蓄率が高いほど投資が増え、経済成長率が高くなると考える。

正解 ▶ イ

問題126 経済成長の理論

1 ／ 2 ／ 3 ／

内生的経済成長理論に関する記述として、最も適切なものの組み合わせを下記の解答群から選べ。

a AKモデルにおける資本には、教育制度や研究開発制度は含まれない。
b AKモデルにおける資本には、教育制度や研究開発制度を含む。
c AKモデルにおける生産関数では、資本の限界生産性が逓減する。
d AKモデルにおける生産関数では、資本の限界生産性が一定である。

〔解答群〕

ア aとc　**イ** aとd　**ウ** bとc　**エ** bとd

解説

スピテキLink▶ 12章2節3項

POINT 従来の経済成長理論では、技術進歩は外生的に与えられるものとしていたが、内生的経済成長理論では、技術進歩を内生的な要因としてモデルに取り込もうとする。AKモデルは内生的経済成長理論の代表的なモデルである。

AKモデルでは、生産関数をY＝AK（Y：国民所得、A：正の定数、K：資本）と表し、資本の限界生産性はAで一定（d）と想定される。ここでの資本（K）は広義の資本とし、機械設備などのほか教育制度や研究開発制度も含まれる(b)。これらは技術進歩を促す要因であり、国民所得の増加に寄与すると考える。

正解 ▶ エ

中小企業診断士　2025年度版
最速合格のためのスピード問題集 4 経済学・経済政策

(2005年度版　2005年3月15日　初版 第1刷発行)
2024年11月25日　初　版　第1刷発行

編著者　TAC株式会社
(中小企業診断士講座)
発行者　多田敏男
発行所　TAC株式会社　出版事業部
(TAC出版)
〒101-8383
東京都千代田区神田三崎町3-2-18
電話 03(5276)9492(営業)
FAX 03(5276)9674
https://shuppan.tac-school.co.jp
印刷　株式会社　光邦
製本　株式会社　常川製本

ISBN 978-4-300-11411-7
N.D.C. 335

乱丁・落丁による交換,および正誤のお問合せ対応は,該当書籍の改訂版刊行月末日までといたします。なお,交換につきましては,書籍の在庫状況等により,お受けできない場合もございます。
また,各種本試験の実施の延期,中止を理由とした本書の返品はお受けいたしません。返金もいたしかねますので,あらかじめご了承くださいますようお願い申し上げます。

中小企業診断士講座のご案内

合格する人は使ってる。TACの

まずは、試験の概要を知る
（無料セミナー・ガイダンス）

中小企業診断士の魅力とその将来性や、試験概要を把握したうえでの効率的・効果的な学習法等を紹介します。ご自身の学習計画の参考として、ぜひご覧ください。

TAC 診断士 動画  

https://www.tac-school.co.jp/kouza_chusho/tacchannel.html

試験問題を詳しく理解する
（本試験分析会）

試験を熟知したTAC講師陣が試験の出題傾向を分かり易く解説。受験生では把握しづらい試験のポイントを効率的に理解することができます。

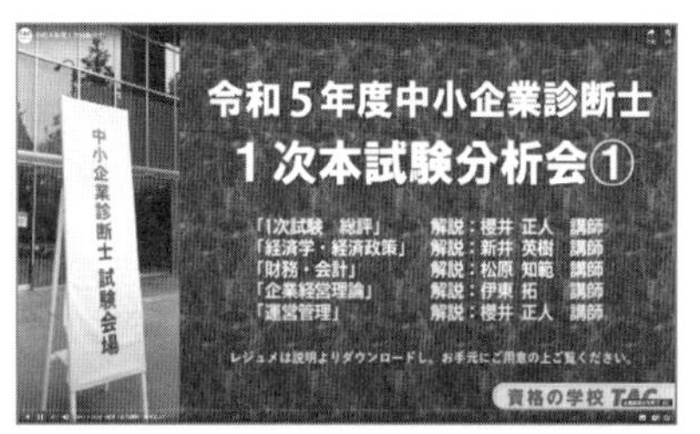

TAC 診断士 分析  

https://www.tac-school.co.jp/kouza_chusho/tacchannel.html

試験問題に挑戦してみる
（TAC動画チャンネル）

試験問題の出題の仕方や内容を知ったうえで学習することが効果的な学習へ繋がります。

TACの講師が前回の試験問題を分かり易く解説します。

TAC 診断士 挑戦  

https://www.tac-school.co.jp/kouza_chusho/tacchannel.html

効果的な学習法を学ぶ
（TAC特別セミナー）

TACでは、どの時期にどのような学習をしなければいけないのかを丁寧に解説したセミナー・イベントをTACの校舎やWebで適時開催しています。

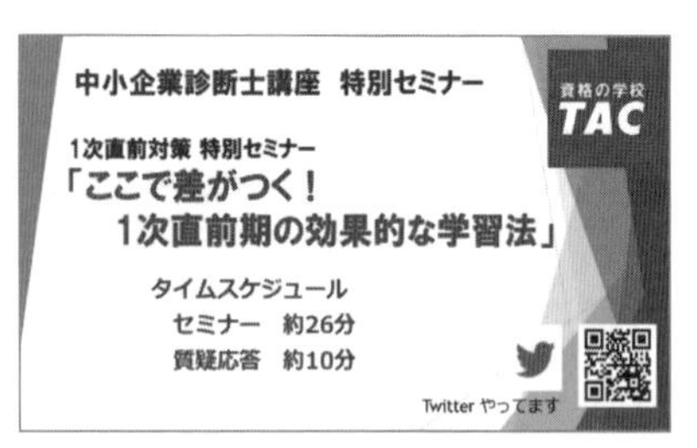

TAC 診断士 セミナー  

https://www.tac-school.co.jp/kouza_chusho/tacchannel.html

サポートサービスを活用しよう!

モチベーションを高める
(将来の選択肢 ～合格者のその後～)

将来、中小企業診断士に合格して何ができるのか?合格者のその後を取材した記事を読んで合格後の夢を広げてモチベーションを高めましょう!

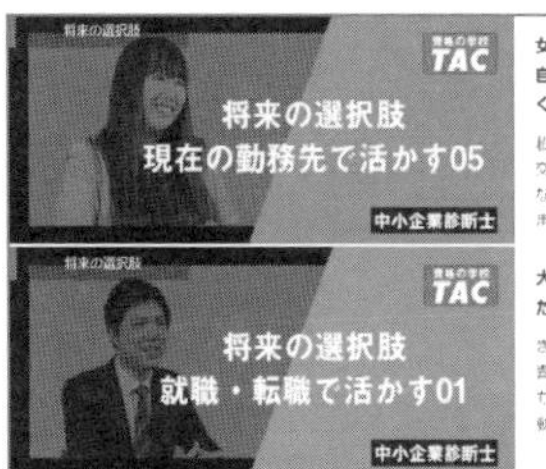

TAC 診断士とは

https://www.tac-school.co.jp/kouza_chusho/chusho_sk_idx.html

TACのYoutube動画
(得する情報を提供中)

TACでは、Youtubeでも学習法や試験解説、実務家インタビュー等の動画を配信しています。是非、チャンネル登録してチェックしてみてください。

TAC 診断士 youtube

https://www.youtube.com/@tac3644/videos

TAC中小企業診断士講座「第1回目講義」オンライン無料体験!
各コースの「第1回目」の講義が体験できます!

「体験Web受講」では、既にご入会されている受講生と同じWeb学習環境(TAC WEB SCHOOL)にて講義をご視聴いただけます。サンプルテキストを用意していますので、講義とあわせて教材の内容も確認してみてください。

**独学では理解しづらかったり
時間がかかる内容もポイントを押さえて
スムーズに理解できるから短期合格できる**

TAC 診断士 体験

https://www.tac-school.co.jp/kouza_chusho/web_taiken_form.html

資料請求はこちらから!!

詳しい資料をお送りいたします。
右記電話番号もしくはTACホームページ
(https://www.tac-school.co.jp/)にてご請求ください。

通話無料 **0120-509-117**（ゴウカク イイナ）
受付時間　9:30～19:00(月～金) 9:30～18:00(土・日・祝)
営業時間短縮の場合がございます。詳細はHPでご確認ください。

TAC中小企業診断士パンフレット

- 戦略的カリキュラム
- 学習メディア・フォロー制度
- 開講コース・受講料
- 無料体験入学のご案内

など

資格&試験ガイド

- 中小企業診断士の魅了
- 実務家インタビュー
- 試験ガイド
- 学習プラン

など

TAC合格者の声

祝賀会・東京会場

長山 萌音さん

表面的な理解ではなく、根本から理解をすることができた

「財務・会計」が苦手で1年目に独学で勉強していた際には理解しないまま試験を受けておりました。そこでTACに通学し、わからない箇所を講師の方に聞くことで、表面的な理解ではなく、根本から理解をすることができました。また、講義の中で効率的な勉強方法をご教示いただき、勉強への取り組み方を身につけることができました。TACを選んだ理由は、①生徒数が多く、合格ノウハウが集まっている、②一次試験から二次口述試験までのカリキュラムが組まれているため、試験ごとの情報収集や模試の検討などの手間が省けると感じたからです。

中尾 文哉さん

TACを活用し本来行うべき学習に集中して労力を割く

学習開始が12月上旬だったため、1,000時間の逆算が成り立たず、合格の為に効率を求めたこと、初回の受験で全体像を把握しながら学習ができるガイドラインや合格の為のノウハウを徹底的に仕入れたかったため、TACのWeb通信講座を受講しました。講義動画がリリースされるタイミングや、各科目のまとめテストの「養成答練」の提出期限も含め、すべてTACのノウハウに基づいてスケジュール化されています。その為、進度管理には労力をかけず、TACが敷いてくれた時間軸のレールの上で本来行うべき学習に集中して労力を割くことができました。

中小企業診断士講座のご案内

学習したい科目のみのお申込みができる、学習経験者向けカリキュラム

1次上級単科生（応用＋直前編）

- □ 必ず押さえておきたい論点や合否の分かれ目となる論点をピックアップ！
- □ 実際に問題を解きながら、解法テクニックを身につける！
- □ 習得した解法テクニックを実践する答案練習！

カリキュラム ※講義の回数は科目により異なります。

1次応用編 2024年10月～2025年4月 ／ 1次直前編 2025年5月～ ／ 1次試験【2025年8月】

1次上級講義
［財務5回／経済5回／中小3回／その他科目各4回］
講義140分／回
過去の試験傾向を分析し、頻出論点や重要論点を取り上げ、実際に問題を解きながら知識の再確認をするとともに、解法テクニックも身につけていきます。
［使用教材］
1次上級テキスト（上・下巻）（デジタル教材付）

➡INPUT⬅

1次上級答練
［各科目1回］
答練60分＋解説80分
1次上級講義で学んだ知識を確認・整理し、習得した解法テクニックを実践する答案練習です。
［使用教材］
1次上級答練

⬅OUTPUT➡

1次完成答練
［各科目2回］
答練60分＋解説80分/回
重要論点を網羅した、TAC厳選の本試験予想問題による答案練習です。
［使用教材］
1次完成答練

⬅OUTPUT➡

1次最終講義
［各科目1回］
講義140分/回
1次対策の最後の総まとめです。法改正などのトピックを交えた最新情報をお伝えします。
［使用教材］
1次最終講義レジュメ

➡INPUT⬅

1次養成答練 ［各科目1回］ ※講義回数には含まず。
基礎知識の確認を図るための1次試験対策の答案練習です。
（配布のみ・解説講義なし・採点あり）
⬅OUTPUT➡

さらに！ 「1次基本単科生」の教材付き！（配付のみ・解説講義なし）

- ◇基本テキスト（デジタル教材付）
- ◇講義サポートレジュメ
- ◇1次養成答練
- ◇トレーニング
- ◇1次過去問題集

開講予定月

- ◎企業経営理論／10月
- ◎財務・会計／10月
- ◎運営管理／10月
- ◎経済学・経済政策／10月
- ◎経営情報システム／10月
- ◎経営法務／11月
- ◎中小企業経営・政策／11月

学習メディア

1科目から申込できます！ ※詳細はホームページまたは資料をご請求ください。（右上参照）

本試験を体感できる!実力がわかる!

2025(令和7)年合格目標　公開模試

受験者数の多さが信頼の証。全国最大級の公開模試!

中小企業診断士試験、特に2次試験においては、自分の実力が全体の中で相対的にどの位置にあるのかを把握することが非常に大切です。独学や規模の小さい受験指導校では把握することが非常に困難ですが、TACは違います。規模が大きいTACだからこそ得られる成績結果は極めて信頼性が高く、自分の実力を相対的に把握することができます。

1次公開模試
2024年度受験者数
2,504名

2次公開模試
2024年度受験者数
1,708名

TACだから得られるスケールメリット!

規模が大きいから正確な順位を把握し効率的な学習ができる!

TACの成績は全国19の直営校舎にて講座を展開し、多くの方々に選ばれていますので、受験生全体の成績に近似しており、**本試験に近い成績・順位を把握**することができます。
さらに、**他のライバルたちに差をつけられている、自分にとって本当に克服しなければいけない苦手分野を自覚することができ**、より効率的かつ効果的な学習計画を立てられます。

規模の小さい受験指導校で
得られる成績・順位よりも…

規模の大きいTACなら、
本試験に近い成績が分かる!

実施予定

1次公開模試:2025年6/28(土)・29(日)実施予定
2次公開模試:2025年9/7(日)実施予定

詳しくは公開模試パンフレットまたはTACホームページをご覧ください。

1次公開模試:2025年5月上旬完成予定　2次公開模試:2025年7月上旬完成予定

https://www.tac-school.co.jp/　TAC　診断士　検索

(2024年2月現在)

書籍のご購入は

1 全国の書店、大学生協、ネット書店で

2 TAC各校の書籍コーナーで

資格の学校TACの校舎は全国に展開!
校舎のご確認はホームページにて

資格の学校TAC ホームページ
https://www.tac-school.co.jp

3 TAC出版書籍販売サイトで

TAC 出版 で 検索

24時間
ご注文
受付中

https://bookstore.tac-school.co.jp/

新刊情報をいち早くチェック!

たっぷり読める立ち読み機能

学習お役立ちの特設ページも充実!

TAC出版書籍販売サイト「サイバーブックストア」では、TAC出版および早稲田経営出版から刊行されている、すべての最新書籍をお取り扱いしています。
また、会員登録(無料)をしていただくことで、会員様限定キャンペーンのほか、送料無料サービス、メールマガジン配信サービス、マイページのご利用など、うれしい特典がたくさん受けられます。

サイバーブックストア会員は、特典がいっぱい!(一部抜粋)

通常、1万円(税込)未満のご注文につきましては、送料・手数料として500円(全国一律・税込)頂戴しておりますが、1冊から無料となります。

専用の「マイページ」は、「購入履歴・配送状況の確認」のほか、「ほしいものリスト」や「マイフォルダ」など、便利な機能が満載です。

メールマガジンでは、キャンペーンやおすすめ書籍、新刊情報のほか、「電子ブック版TACNEWS(ダイジェスト版)」をお届けします。

書籍の発売を、販売開始当日にメールにてお知らせします。これなら買い忘れの心配もありません。

2025年度

中小企業診断士試験 (第1次試験・第2次試験)

TAC出版では、中小企業診断士試験(第1次試験・第2次試験)にスピード合格を目指す方のために、科目別、用途別の書籍を刊行しております。資格の学校TAC中小企業診断士講座とTAC出版が強力なタッグを組んで完成させた、自信作です。ぜひご活用いただき、スピード合格を目指してください。

※刊行内容・刊行月・装丁等は変更になる場合がございます。

基礎知識を固める

▶ みんなが欲しかった!シリーズ

みんなが欲しかった!
中小企業診断士　合格へのはじめの一歩
A5判　8月刊行

- フルカラーでよくわかる、「本気でやさしい入門書」!
- 試験の概要、学習プランなどのオリエンテーションと、科目別の主要論点の入門講義を収載。

みんなが欲しかった!
中小企業診断士の教科書
上:企業経営理論、財務・会計、運営管理
下:経済学・経済政策、経営情報システム、経営法務、中小企業経営・政策
A5判　10～11月刊行 全2巻

- フルカラーでおもいっきりわかりやすいテキスト
- 科目別の分冊で持ち運びラクラク
- 赤シートつき

みんなが欲しかった!
中小企業診断士の問題集
上:企業経営理論、財務・会計、運営管理
下:経済学・経済政策、経営情報システム、経営法務、中小企業経営・政策
A5判　10～11月刊行 全2巻

- 診断士の教科書に完全準拠した論点別問題集
- 各科目とも必ずマスターしたい重要過去問を約50問収載
- 科目別の分冊で持ち運びラクラク

▶ 最速合格シリーズ

科目別 全7巻

①企業経営理論
②財務・会計
③運営管理
④経済学・経済政策
⑤経営情報システム
⑥経営法務
⑦中小企業経営・中小企業政策

最速合格のための スピードテキスト
A5判　9月～12月刊行

- 試験に合格するために必要な知識のみを集約。初めて学習する方はもちろん、学習経験者も安心して使える基本書です。

科目別 全7巻

①企業経営理論
②財務・会計
③運営管理
④経済学・経済政策
⑤経営情報システム
⑥経営法務
⑦中小企業経営・中小企業政策

最速合格のための スピード問題集
A5判　9月～12月刊行

- 『スピードテキスト』に準拠したトレーニング問題集。テキストと反復学習していただくことで学習効果を飛躍的に向上させることができます。

受験対策書籍のご案内　TAC出版

1次試験への総仕上げ

科目別 全7巻

①企業経営理論
②財務・会計
③運営管理
④経済学・経済政策
⑤経営情報システム
⑥経営法務
⑦中小企業経営・中小企業政策

最速合格のための
第1次試験過去問題集

A5判　12月刊行

● 過去問は本試験攻略の上で、絶対に欠かせないトレーニングツールです。また、出題論点や出題パターンを知ることで、効率的な学習が可能となります。

全2巻

1日目
（経済学・経済政策、財務・会計、企業経営理論、運営管理）

2日目
（経営法務、経営情報システム、中小企業経営・中小企業政策）

最速合格のための
要点整理ポケットブック

B6変形判　1月刊行

● 第1次試験の日程と同じ科目構成の「要点まとめテキスト」です。コンパクトサイズで、いつでもどこでも手軽に確認できます。買ったその日から本試験当日の会場まで、フル活用してください!

2次試験への総仕上げ

最速合格のための
第2次試験過去問題集

B5判　2月刊行

●問題の読み取りから解答作成の流れを丁寧に解説しています。抜き取り式の解答用紙付きで実践的な演習ができる1冊です。

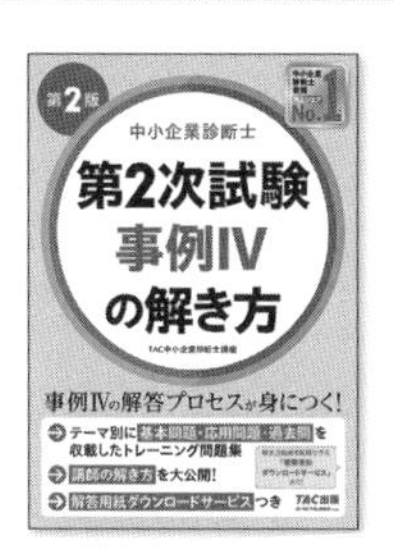

第2次試験
事例Ⅳの解き方

B5判　好評発売中

●テーマ別に基本問題・応用問題・過去問を収載。TAC現役講師による解き方を紹介しているので、自身の解答プロセスの構築に役立ちます。

第2次試験
外さない答案への
攻略ロードマップ

B5判　好評発売中

●演習に加えて、テーマ設定、プロセス確認、出題者の意図の確認、出題者の立場での採点などを行うことにより、2次試験への対応力を高め不合格を回避できる力を身につけることができます。

TACの書籍はこちらの方法でご購入いただけます

1 全国の書店・大学生協　2 TAC各校 書籍コーナー　3 インターネット

CYBER BOOK STORE　TAC出版書籍販売サイト

アドレス https://bookstore.tac-school.co.jp/

・2024年7月現在　・価格等詳細は、決定しだい上記のサイバーブックストアに掲載されますのでご参照ください

書籍の正誤に関するご確認とお問合せについて

書籍の記載内容に誤りではないかと思われる箇所がございましたら、以下の手順にてご確認とお問合せをしてくださいますよう、お願い申し上げます。
なお、正誤のお問合せ以外の**書籍内容に関する解説および受験指導などは、一切行っておりません。**
そのようなお問合せにつきましては、お答えいたしかねますので、あらかじめご了承ください。

1 「Cyber Book Store」にて正誤表を確認する

TAC出版書籍販売サイト「Cyber Book Store」の
トップページ内「正誤表」コーナーにて、正誤表をご確認ください。

CYBER BOOK STORE TAC出版書籍販売サイト

URL:https://bookstore.tac-school.co.jp/

2 1の正誤表がない、あるいは正誤表に該当箇所の記載がない ⇒ 下記①、②のどちらかの方法で文書にて問合せをする

★ご注意ください★

お電話でのお問合せは、お受けいたしません。
①、②のどちらの方法でも、お問合せの際には、「お名前」とともに、
「対象の書籍名(○級・第○回対策も含む)およびその版数(第○版・○○年度版など)」
「お問合せ該当箇所の頁数と行数」
「誤りと思われる記載」
「正しいとお考えになる記載とその根拠」
を明記してください。
なお、回答までに1週間前後を要する場合もございます。あらかじめご了承ください。

① ウェブページ「Cyber Book Store」内の「お問合せフォーム」より問合せをする

【お問合せフォームアドレス】

https://bookstore.tac-school.co.jp/inquiry/

② メールにより問合せをする

【メール宛先 TAC出版】

syuppan-h@tac-school.co.jp

※土日祝日はお問合せ対応をおこなっておりません。
※正誤のお問合せ対応は、該当書籍の改訂版刊行月末日までといたします。

乱丁・落丁による交換は、該当書籍の改訂版刊行月末日までといたします。なお、書籍の在庫状況等により、お受けできない場合もございます。
また、各種本試験の実施の延期、中止を理由とした本書の返品はお受けいたしません。返金もいたしかねますので、あらかじめご了承くださいますようお願い申し上げます。

TACにおける個人情報の取り扱いについて
■お預かりした個人情報は、TAC(株)で管理させていただき、お問合せへの対応、当社の記録保管にのみ利用いたします。お客様の同意なしに業務委託先以外の第三者に開示、提供することはございません(法令等により開示を求められた場合を除く)。その他、個人情報保護管理者、お預かりした個人情報の開示等及びTAC(株)への個人情報の提供の任意性については、当社ホームページ(https://www.tac-school.co.jp)をご覧いただくか、個人情報に関するお問い合わせ窓口(E-mail:privacy@tac-school.co.jp)までお問合せください。

(2022年7月現在)